早上3小時完成一天工作

暢銷十年經典改版

200%フル活用！

頭のいい「時間」術

日本殿堂級講師

箱田忠昭

Tadaaki Hakoda

吳鏘煌——譯

〔前言〕

成功者最重視的事

將你「擁有的時間」轉變成「黃金時間」的祕訣

有人工作一小時只賺了新台幣二百多元（約日幣七百元），也有人工作一小時就賺了新台幣二千多元（約日幣七千元），兩者之間的差別竟然高達一百倍。這單純只是因為對於時間的用法不同，所創造出來的價值也因人而異。既然都是時間，誰不想擁有能創造出超高價值的時間呢？

一般所謂的「時間管理」，大都將重點擺在如何節省時間，或是如何才能創造出更多的時間。

但是，不管再怎麼節省時間，或是創造出大量可自由運用的時間，如果這些時間最終還是只能創造出一個鐘頭二百多元的價值，那麼大概也說不上具有什麼意義吧。

就因如此，我認為「Time is money.（時間就是金錢。）」這句格言，是大大的錯誤。因為事實上，即使有數不清的時間，對金錢來說還是於事無補。

重要且正確的觀念應該是，如何將你所「擁有的時間」，轉換成「創造出財富的黃金時間」。

「時間管理」的重點就在於此。本書所介紹的「時間管理」，全都是以此觀點來統合彙整的實用資訊。

時間不會因為男女老少，就給予不同的對待。過去的時間，再嘆息也無法挽回，而未來尚未發生的時間，也無法存在於此時此刻。

因此，在當下該如何活用你「擁有的二十四小時」，才是最重要的課題。若能持續活用「擁有的二十四小時」，將會成為你經營人生的最重要方式，並且為你創造出值得期待的生活。

本書中，由「以最短時間達成目標的祕訣」、「成功者都在用的活用時間規則」、「利用相同時間創造兩倍成果」，以及「帶來好結果的自我管理術」這四個重點切入主題，介紹各位一個聰明的「時間活用法」——如何將所「擁有的時間」，轉換成附加價值較高的時間。

我會向各位提案這項今日起馬上有用、即效性很高的技術，同時也希望這些「心靈指標」對各位有所助益，讓各位今後的人生過得更輕鬆、更愉快。

在各位讀過此書後，倘若有一位或是更多讀者覺得湧起了一股熱情，或是與昨日相比，彷彿能夠眺望美好的未來，那便是我無上的榮幸。

箱田忠昭

目錄

第3部　利用「相同時間」創造兩倍成果　157

同時處理也輕鬆無比的工作管理術

6 讓工作效率提升兩倍的技術（其一）　159

9 向「全美第一」的頂級推銷員學習自我改革 207

第1部

以「最短時間」達成目標的祕訣

管理抵達成功之路的「過程」

◆用「自終點往回推算」的方式來規畫時間
◆能否達成目標「過程管理」是關鍵

1 用「自終點往回推算」的方式來規畫時間

■充分活用「所擁有的時間」的思考方式■

俗話說：「時間就是金錢。」不過我卻認為這完全是胡說八道。失去的金錢，只要努力勤奮工作的話就可以再賺回，然而，失去的時間是絕對無法再重返的。

所以我才會說：「時間就是生命。」

我們每天都在邁步前進，邁向……未來嗎？不，是邁向墳場。不知何處是停駐腳步之處，而且二十四小時不休止地跨步向前。就像我在寫著文章的同時，時間還是不停地往前飛逝，走向墳場的距離也越縮越短了。

邁向終點的距離，只會越來越短，絕對不會變長。

事實上，每個人的死期早就注定好了，只是自己不知道而已。所以，在死之前的這段時間，該如何活出自己，已然成為一個非常重要的課題。

不管是多麼偉大的人，或只是市井小民，也不管是男、是女，終點站老早就決定好了。在抵達終點站之前，盡可能去追求幸福快樂的生活，度過有意義的人生，是每個人都想完成的夢想。

但是呢，有些人這個也想做、那個也想做，覺得這個人說這樣、那個人說那樣等等，每天過著人云亦云的日子，快到終點時才又重新思考，到底有沒有哪些更有意義的行動、更有意義的生存方式。

聽說某間大公司的老闆，在他五十歲時已經攢下了約台幣三十億的財富。這個老闆這麼說了：「如果能讓我再回到二十歲，我願意放棄我全部的財產！」

不管是百億財富、還是千億財富，很遺憾的，沒有任何人可以讓那位大老闆回到二十歲。

反過來說，現今二十歲的年輕人才真正擁有超過幾億、十億金錢以上價值——因其擁有無限亮眼的未來。

所以，二十歲到五十歲之間這段三十年的歲月裡，到底能不能創造出價值幾億的人生，或是千萬的人生，又或者是借貸度日的人生，都會被這個人的生存方式所左右。

也就是說，到底該如何架構今後這漫長的三十年時間，可是大有學問的。

■清楚設定「目標」就能看見「捷徑」■

那麼，該如何度過一個有意義的人生呢？首先第一步，是該去做什麼事情；第二步則是該如何去實現此事。這兩個步驟是非常重要的，換句話說，也就是所謂的「設定目標」。

所謂的目標，若以撐竿跳的橫桿來作比喻的話，大家就容易理解。如果撐竿跳沒有橫桿的話，就不會有目標，也就不知道該跳多高；無論是多麼優秀的選手，也無法使自己跳得高。而有了橫桿，才能夠飛躍高跳。

假設將目標設定在五公尺之處，對著這個目標努力不懈、拚命練習，也許最後能夠勉強跳過五公尺。

說不定第一次是僥倖跳過，那麼連續再挑戰個五次試試看。一試之下，竟然全部都成功跳過了。如此一來，自信便會不斷地湧現。

接下來，將橫桿掛到五公尺三十公分的高度，再試著挑戰看看。練習了無數次後，也終於可以跳過這個高度。接著再挑戰五公尺四十公分的高度，以此類推，如此這般將目標逐漸往上設定。

當目標達成時，自信心必然也會大增。有了自信，就能提高下一個目標。在如此持續之下，人才能夠一步步地往上成長。

你也抱持著某個目標吧？今天該做什麼、這星期該做什麼，至少也會訂出一些目標吧？

那麼，一個月之後、三個月之後，或者是三年後、五年後，你可會去想像、描繪那時候的自己，應該是什麼模樣？

「五年後的我大概結婚了吧？」「大概還是持續做著跟現在一樣的工作吧？」幾乎大多數的人都只設定這種程度的目標。

這麼一來，「甲子園之牛」的例子，也就不會讓人覺得不可思議了。

換句話說，就是以下我所要說的一段故事。

我們把一頭牛矇住眼睛，帶到甲子園球場去，用球棒往牛屁股猛力毆打。牛突然被打，驚嚇得跳過球場的欄杆，衝到甲子園球場圍牆的盡頭，猛撞到牆壁之後，卻翻了個四腳朝天。

不過，這頭牛馬上就翻身爬起，慌慌張張地又往四處逃竄。因為牛被矇住了眼睛，所以絕對逃不出球場。結果，這頭牛一而再、再而三地碰撞了好幾十次、幾百次之後，終於耗盡氣力，筋疲力竭地死掉了。

那麼，倘若將矇住這頭牛的布拿掉的話，結果會如何呢？當然，牛一定馬上直直衝往出口處，一溜煙地逃得不見影蹤吧。

雖然七彎八拐地稍稍多繞了點路，但這個出口代表的就是「目標」。只要有目標，就能不顧一切地往「目標」奔馳而去。

用另一種說法來解釋「目標」，其實目標也像是一盞亮光。

比方說，三更半夜走在一個毫無燈光的鄉間小徑。因為是伸手不見五指的黑夜，所以只能憑直覺猜測約莫是往某個方向走。

走到半路，忽然覺得，咦？說不定是那個方向才對吧，於是便改往左邊的方向走去。但是在途中又改變了主意，這回又換往右邊的方向走去。

走來又走去，最後，反而變得完全分不清楚什麼方向才正確。

但是，如果前方看得見光亮的話，只要往那個方向直直走去，就不會有問題。如此一來不但可以節省時間和體力，因為緊張所產生的壓力也會消失不見。

因此，確定目標這件事，在人生的旅途上，是件非常重要的事。

■百分之三的成功者所實行之事■

那麼，什麼是所謂的「目標」呢？

想要成為有錢人、想要住豪宅、想要有理想的結婚對象、想要有個好工作、想要說一口流利的英文……這些其實都代表著各種不同的目標。

我的工作是演講以及舉辦研討會。有一次，我對受講者們問了以下的問題：

「各位當中想讓英文更流利精通的人，請舉手。」

結果，會場中幾乎所有的人都舉起了手。

於是，我隨意點了其中一位，繼續以下的問答。

「那麼，您今晚有打算讀英文嗎？」

「沒有。」

「那，明天要讀嗎？」

「沒有。」

「這個禮拜有打算讀嗎？」

「大概不會吧。」

「這個月呢？」

「沒有計畫。」

如此這般，雖然幾乎所有的人都抱持著「想要讓英文更流利更精通」的願望，但卻沒有人真正去實行。

這也就是說，目標與願望其實完全是兩回事。

根據某個調查顯示，有百分之三的人是「過著不同凡響且富豪般的生活」、百分之十的人是「過著富裕的生活」、百分之六十的人是「勉勉強強維持著生計」，而百分之二十七的人則是「必須仰賴某些方面的援助」。

能稱得上成功的人士，僅僅只有百分之三而已；還算成功的人也只有百分之十；而剩下的百分之八十七，也就是十個人之中有少於九個人好不容易才能生存下去，這就是日本現今的狀況。

同樣都是人，怎麼會有成功者和不成功者的差別呢？

調查的結果，明確瞭解了以下的事。

最上層百分之三的人，都抱持著具體的目標，並且將目標寫在紙上。百分之十的人，則是曖昧不明地在心中描繪出好幾個目標。而剩下的那些人，幾乎不會想要設定任何目標。

就像我先前所說的，單純的願望和目標是完全不同的兩件事。

假設你有一個「想要成為有錢人」的願望，而你也依著這個願望，訂下做法，例如：「每個月儲蓄新台幣一萬五千元（約日幣五萬五千元），一年就能存上新台幣十八萬元，五年之後就能存下新台幣九十萬元。」而這就是所謂的目標。

「想要瘦下來」、「想要減輕體重」，而沒有完成的方法，那麼這些就是願望而不是目標。

「每天十分鐘的慢跑，到明年三月時，要減掉四公斤的體重！」這才是目標。

如果有「想要說一口流利的英文」的願望，那麼，「明年的五月之前，要在TOEIC（註）考個八百分！」這就是目標。

以上的例子，就等於先前我所說的「撐竿跳的橫桿」。有沒有這根橫桿、有沒有設立目標，到底哪邊才會成功，答案已經呼之欲出了吧。

所謂的目標，就是指已經設定好完成的期限，並寫在紙上的一個具體性的願望。也就是說，目標要具備期限、具體性、寫在紙上，這三個必要條件。

不過，能夠抱持這樣目標的人，可真是少之又少。

那麼，為什麼把目標寫下來是一件好事呢？最主要的理由，就是可以將接下來要敘述的三點集中在一起。

首先，**第一點就是可以節省時間**。

只要有明確的目標，人便不會毫無理智地一頭栽進估算錯誤的行動之中。

註：國際溝通英語測驗，亦稱『多益測驗』。

當你有些累了，你會小酌一下就去睡覺呢？還是稍微忍耐一下，至少背熟三個英文單字之後，再去睡覺？

就算一時無法做出決定，但若有一個明確目標，比方TOEIC測驗要考到八百分，那當然還是選擇熟記三個英文單字比較好。簡單來說，目標一旦設定，你將不會因躊躇徬徨而浪費時間。

第二點是，很快就能做出正確的決定。

若是始終明白自己想要達成哪種目標，因為確實瞭解自己應往哪個方向衝刺，在決定行動時便會較輕鬆容易。

第三點是，可以減輕壓力。

清楚且明確地掌握自己想達成的目標後，為了達成這個目標，若能瞭解該如何計畫完成目標，心情自然較安定不慌張。

若有一個具體的目標，知道三年後的自己會變成這樣，五年後或是十年後會變成那樣的話，那麼，不但壓力會消失，壽命也會增長一些。

日本人的三大死因據說是：癌症、腦血管疾病，以及心臟疾病。因為飲食習慣的變化導致動脈硬化，腦血管破裂而引發腦溢血。甚至因為急躁不安、氣怒攻心，以致心臟病發作，而倒地不起。

另外，有些人因壓力累積過多而導致胃潰瘍，最後轉變成胃癌。從這些例子中我們不難瞭解，大部分的慢性病都是因為長期的壓力所引起。

上班族早死的比率非常高，壽命比較長的當然都是那些中小企業的大老闆，或是開店當老闆的人。

因為那些人不必擔憂退休問題，就像訂下今年的目標，或是三年後的目標般，一直朝著目標努力前進，生活便會生氣勃勃地充滿了力量，這就是他們長命的要因之一吧。

人若沒有目標的話，就無法長命百歲。因此從現在起，首要之舉是趕緊立下一個目標才是。

■提高成功率的「備份計畫」■

設定目標時，原則上必須將目標寫在紙上。同時，還有一件非常重要的事，就是必須製作一個備份計畫（Backup Plan）。

所謂的備份計畫，是指當設定的目標無法達成時，至少也要達到某種程度的次要目標。

比方說，設定了三年後打算儲蓄約台幣一百萬元（三百萬日圓）的目標，萬一無法達成這個目標，至少也要做到存下約台幣六十萬元（兩百萬日圓）的程度，這就是備份計畫。

為何必須要有備份計畫呢？

以人的心理層面來看，一旦目標無法達成，必然會感受到一種失敗感。也就是說，當儲蓄台幣一百萬元的這個目標無法達成時，心中就會出現一種「我果然

兩階段式的「目標設定」

願望 ＋ （・設定期限 ・具體性 ・寫於紙上） ＝ **目標**

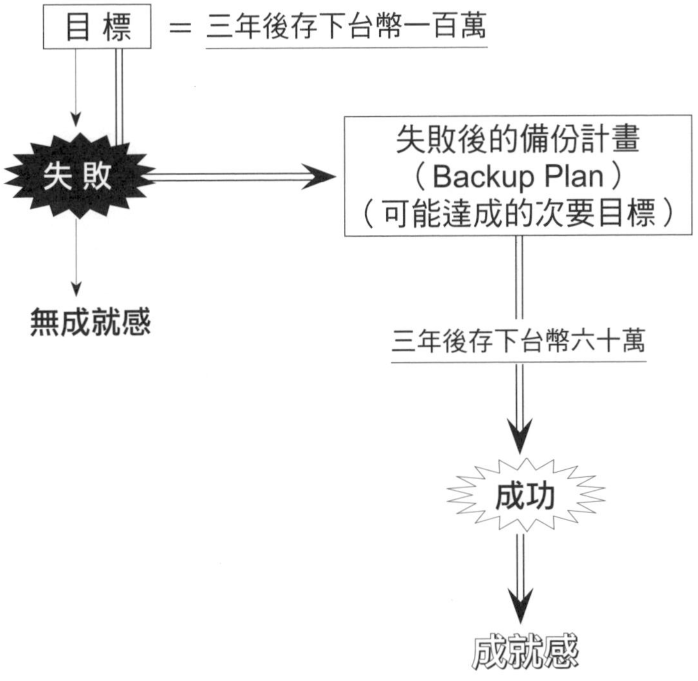

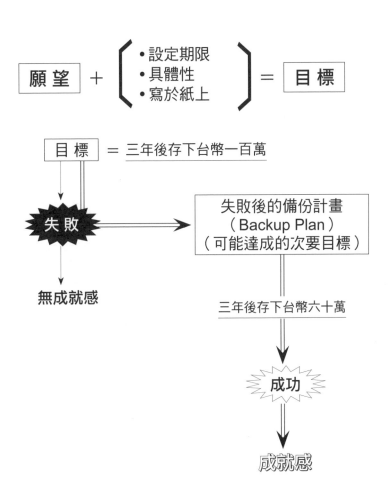

還是做不到」的否定自己的沮喪情緒。這正是阻礙人的熱情、衝勁的一個極大因素。

因此，暫且先以台幣一百萬元為基本目標，再訂出一個比較能夠達成的備份計畫——台幣六十萬元的目標。

如此一來，即使無法達成首要目標，要達成其次計畫的次要目標，可能性就很高了。事實上，就算最後僅達成次要目標，心中還是能夠獲得很大的滿足感。對於為求成功的芸芸眾生來說，成就感、滿足感、成功感，可說是非常重要的精神鼓勵。

大成功是由無數的小成功所累積而成的。誠如此言，若能以一些小成功為基礎，才能挑戰更大的成功目標。

所以，當你把目標寫在紙上時，一定要分別寫下：①目標；②可能達成的目標——這二項最重要的設定。

■將力量集中於一點的「來福槍射擊效果」■

關於目標的設定，還有一個非常重要的事情就是「集中」。

這個也想做、那個也想做，太過貪心立下太多目標的話，最後的結果就是連一個目標都無法達成，這正是「逐二兔者不得其一，一心二用將一事無成」的結果。

因此，只要設定一個該努力衝刺的目標之後，在那段期間裡，無論如何就必須把全副精神集中在目標上。

這就是我用「來福槍」作比喻，說明何謂集中精氣神，擊出一發威力強勁的子彈之「來福槍射擊效果」。

原本是以創業為目標，也想當個舞文弄墨的作家，又想多充實自己的生活趣味，還想要交個女朋友等等，這個也想做、那個也想做，我看若非超人，恐怕難以實現吧。

若是以創業為目標的話，應當將全副精神集中在創業這一層面。訂下的目標越大，所伴隨而來的犧牲當然也會越大。

2 能否達成目標「過程管理」是關鍵

■縮短理想與現實差距的「目計實追」法則■

立下目標是走向成功的第一步。然而，光只如此恐怕有些偏頗不全。為什麼呢？因為現實與目標之間的差距非常遙遠。

那麼，該如何縮短現實與目標之間的巨大鴻溝呢？解決此問題的方法就是「過程管理」，我稱之為「目計實追」法則。

我將「目標」、「計畫」、「實行」、「追蹤」這四個語彙的頭一個字挑出，組合成「目計實追」法則。

我再說一次，光只有「目標」是不夠的。為求達成目標，必須設定一個可執行的計畫。

不過，只有「計畫」也是行不通的，能夠去「實行」才是最重要的。著手實行之後，接下來就必須去「追蹤」是否有正確的進行。

我是個外資公司的社長，因此我深深體會「過程管理」的重要性。我的公司每年必須設定的目標不勝枚舉，如：下年度的銷售目標、營利目標、廣告目標、生產目標、新產品開發目標等。而為了達成這些目標，就得絞盡腦汁訂出計畫，然後再與紐約總公司進行多次的協商研討之後，終於訂出下年度的事業計畫案。

但是，當那些計畫案獲得總公司的認可之後，卻隨即歸檔，爾後就完全不去追蹤理會了。即使設立了翌年度的計畫，一旦進入實行的階段，目標及計畫卻完全變成兩碼子的事。到了下一年度時，相同的情況又再次出現。

能確實達成目標的「過程管理」

「目計實追」法則

- 目＝目標
- 計＝計畫
- 實＝實行
- 追＝追蹤

●以「目計實追」法則來管理達成目標的過程

這麼說來，這只不過是「紙上談兵」而已。其實，成功與否最重要的是執行的過程。該如何讓目標與計畫的實行相互連結，才是成功完成目標的真正關鍵點。

順帶一提，我手邊在使用的記事本比一般人的足足大了三倍之多。我在這本記事本中，區分出工作、健康、經濟、自我啟發、家庭生活、其他這六個項目。並在本子中寫下目標計畫，像是該處理什麼、處理到何時為止、該用哪種方法來實行等，而且本子始終不離身。

即使已經訂出了目標計畫，但只要一歸檔恐怕就忘得一乾二淨了。難得立下了目標，可是卻無法與行動相結合。

因此，我總是將記事本放在伸手可及之處，不時去確認目標，而且這對更動自己的行動來說也頗有幫助。

舉個例子來說：想要讓英文更流利更精通，在明年三月TOEIC測驗中考到八百分——目標。

將類似如此的目標全都寫在記事本上，因為這個動作，讓你在車站候車椅上等車時，一打開記事本看到這個字句，腦海就會浮現一種行動變革，像是今天的預定進度是熟記十個英文單字，那麼，看電視之前先來熟記十個英文單字吧！

英語有「Decision Base」（決策基礎）一詞，意思就是對於我們所執行的行動，必須要有一個決定行動的基準。今日應進行之事，必須與將來的目標一致，而且兩者之間不可存有差距。

我們都抱持著各式各樣的目標，不過，若是為了三斗米折腰的上班族，往往對既定的目標容易馬馬虎虎地敷衍了事。為了不讓自己變成這樣的人，首要任務就是竭盡全力活出今天一天的光彩。

這，就是時間管理的第一個重點。

■以「八十／二十法則」提升時間效率■

一天二十四個鐘頭中，我們無法隨時有效率地活用這二十四個小時。從義大利經濟學家帕列托（Villfredo Pareto）所提出的「八十／二十法則（帕列托法則）」中，便能確實得知這句話的意思。

此法則是說，我們花費了百分之八十的時間，卻只能得到百分之二十的成果；而其餘百分之二十的時間，卻能得到百分之八十的成果。

打個比方來說，你努力工作了十個鐘頭，其中的八個鐘頭只做出了全部業績的百分之二十；而剩下的兩個鐘頭卻造就了全部業績的百分之八十。

這法則並非只能運用在時間或是業績上，而是適用於各種層面上。

比方說，你擁有一百件內衣，其中的百分之二十只穿過二十次左右，剩下的百分之二十的內衣，卻使用了八十次之多。

以「八十／二十法則」有效率地運用時間

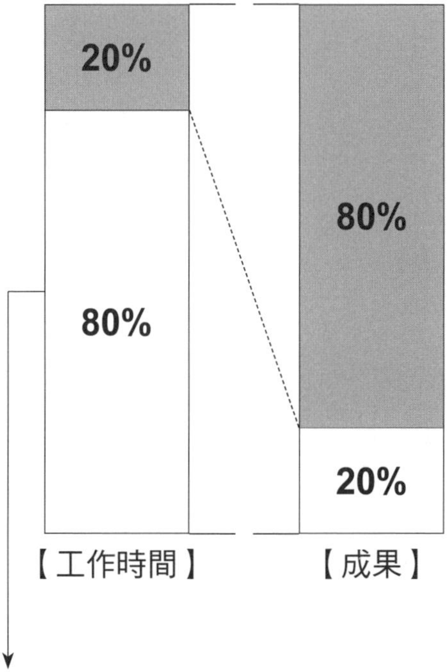

要讓百分之二十的時間更有效地活用

就要明確訂出「今天，該做什麼事」！

又譬如說，有一百間代理店，其中八十間的代理店只做出了全體營業額的百分之二十，而剩下的二十間代理店，卻創造出了全體營業額的百分之八十的績效。

全世界的財富中，百分之二十的國家獨占了所有財富的百分之八十，而百分之八十的國家卻只占了所有財富中百分之二十而已。

如以上所述，舉凡所有的層面皆能成立在「八十／二十法則」上。這麼說來，我們雖然很努力想活出一天二十四個小時的光彩，但卻往往只能有效率地使用百分之二十的時間而已。

這是因為，你完全沒有做出「今天該做什麼事」的計畫所造成。話雖如此，當天決定今日的計畫也已經太遲了。必須要在前一天就決定好隔天應做些什麼的計畫。

像是，該打電話給誰、該給誰寫封信、該處理哪些事項、晨起至夜寐為止的時間中該做些什麼事等，分配好時間後再全部寫下來。

這麼一來，早上起床後到晚上睡覺前的所有時間，才能夠完完全全地做好管理分配。

我把此稱為「一天的行動計畫」（Daily plan）。

■完美計畫的三大條件■

關於計畫，有短期的也有長期的計畫。毋庸置疑，越是長期的計畫，不確定的要素也越多。

也就是說，週計畫比日計畫，月計畫比週計畫，年計畫比起月計畫，更不容易去預測過程中所發生的變數。

因此，原則上制訂計畫是「短期性的較詳細一些，長期性計畫則約略規畫」即可。

另外，制訂計畫還有一個祕訣，就是必須要滿足以下的三個條件。

①整體展望
②優先順序

「制訂計畫」中絕對不可缺少的條件

原則　**「短期性的計畫要詳細羅列，長期性的計畫則概略規畫即可！」**

「行動計畫」中必要的三個條件

(1)整體展望——全面把握

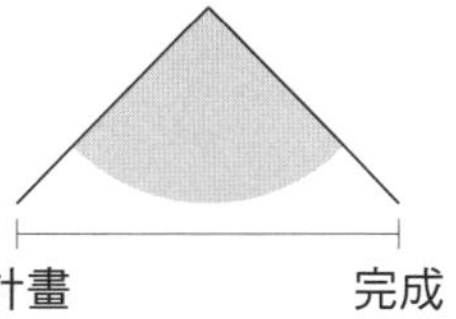

(2)優先順序——工作群組化

① 緊急事件
② 對方優先之事項
③ 當日的中心業務
④ 非緊急事項

(3)記憶備忘——情報視覺化

所有事情皆記載於備忘錄
↓
- 強化記憶
- 多動腦筋於創造性的事物上

③記憶備忘

有一種人，每次遇到任何人老是嚷嚷著：「唉！忙死了，忙死了。」彷彿這麼說便會升起一股小小的優越感。

或許這種人是打算用對他人吹噓自己工作忙碌的舉動，來暗示自己是多麼地受重用、多麼地被依賴，如果沒有了他，這個社會就不會往前邁進。

像這樣的人光會大喊忙翻了天，事實上大多數都是沒做什麼有建設性、有生產性的大工作。

其實，在我還是白領上班族時，即使沒有什麼重要的公事，很多時候也是摸到很晚才離開公司。因為似乎不這麼做，心中就會有些不安。當然，假日出勤更是家常便飯。

不過，當我回顧往昔，因為處理公事的手法笨拙，有時候還多花了兩、三倍以上的時間才處理妥當。正因為不得要領，我想絕大部分的時間，大概都花在被公事耍得團團轉上頭吧。

用別的觀點來看，這就是沒有做到「整體展望」的緣故。只會悶著頭往前衝，除了眼前的事物和突發事件才可能引起自己的注意。

倘若無法掌控自己所處的立場、責任範圍、應做之事、工作的全面狀況等等，充其量你也只不過是個瞎忙大王而已。

「忙」這個字，拆開來寫是「心」和「亡」，也就是「心死」。忙碌並非迷失了心靈而徬徨不知所措，反而必須要從現狀去展望未來，也就是坐著不必動手，就能洞悉、掌握整體展望地去計畫。

其次，制定計畫的另一個重要條件是「優先順序」。

不管是日計畫、週計畫或是月計畫，首要之舉就是來個腦力激盪，先試著寫寫看。任何事情都行，全部都先寫下來。

譬如，以下就是某天A君必須處理之事的大概內容。

①與廣告代理商開會

②寫張謝卡給代理商

③製作十月份的營業額統計資料
④去ATM領錢
⑤買一本自我啟發的書
⑥準備明天的會議資料
⑦與大客戶約定會面時間
⑧整理好紙業界的小重點後，向上司提出報告

這些都是很普通、很理所當然的事項，但首先要區分出優先順序，哪些是必須早點處理的、哪些是無須太趕的，這才是列定計畫的重點所在。

針對此重點再經考量後，A君將優先順序重新設定如下。

⑦與大客戶約定會面時間
①與廣告代理商開會
③製作十月份的營業額統計資料

⑧整理好紙業界的小重點後，向上司提出報告
②寫張謝卡給代理商
⑥準備明天的會議資料
⑤買一本自我啟發的書
④去ATM領錢

為何他將第⑦和第①擺在最優先的位置呢？因為這種拜訪客戶的工作，總是以對方的時間作為取決，所以必須先行處理才是。

相反的，第③和第⑧則需要專心一志、集中精神不可。也就是說，這兩項是當天的主要事項，必須要傾注全副精神去處理。

另外，第②、第⑥、第⑤、第④項，其實這幾項是任何時間去處理皆可的工作。因為這些工作可以利用手邊的「空餘時間」來處理就行了。

不管是週計畫或是月計畫都一樣，只要依照以上分辨優先順序的方法，將其群組化就可以了。

第三個完成計畫的重要條件的「記憶」，什麼意思呢？簡單來說就是有些事項不寫下來就會忘得一乾二淨。

我們經常會在腦中浮現出跟工作有關的點子，但若不寫在本子上的話，馬上就會忘記，之後再怎麼絞盡腦汁也想不起來，實在讓人傷透腦筋。這種經驗，我想大家應該都有過吧？

英語有句諺語說：「Out of sight, out of the mind.」意思是說，眼見不到之物，很容易就會被遺忘。

的確沒錯，因此只要把任何雜七雜八的事情通通記錄下來的話，就不必用到頭腦的記憶力了。這麼一來，不但能減輕頭腦的負擔，還可以把腦子用在記憶其他的事情上。

從另一個角度來說，這麼做也是刻意讓腦袋維持在空空如也的狀態。

我們經常會在如廁，或是泡澡時楞楞地發著呆，那時會突然靈光一閃地蹦出一個好點子、解決方案等，看來，果真是因為沒有其他雜事煩惱時，頭腦的運轉活動力反而比較好。

所以，你可以另外準備一本記事本，把無須優先處理的，或是比較不繁瑣的計畫，隨時信手寫在上頭。比方說像剛才的第②、⑥、⑤、④的那幾項，就可以比照此方法處理了。

■利用「六個優先順序」獲得令人驚異的成果■

伯利恆鋼鐵公司（Bethlehem Steel）的總裁，因為事務繁忙，總是無法好好地管理自己的時間。某天，他向一位極有名的經營公關顧問艾維李（Ivy Lee）說道：「我希望你能幫我想個法子，如何才能將工作管理得當，並且還能提升工作的效率。」

艾維李回答說：「沒問題，這事就交給我來辦！不過，我的收費可是非常高的喔！」

「費用方面當然沒問題！」總裁說。於是，此事便交給艾維李去處理了。沒多久，艾維李寄來了一封上頭寫著：「關於您工作的處理方式之建議」的信給總裁。

總裁馬上拆開信，一看內容只有四行字，標題寫著：「今後時間管理的進行方式」。

①就寢之前，回想隔日各種需處理之事。

②將其優先順序寫於紙上。只要寫六項即可。

③翌日，將此紙放在西裝口袋中，再去上班。

④抵達公司後，依照紙上所寫的順序，從第一件開始去執行。

就這麼簡簡單單的幾句話。除了這四行建議字句，信中還附了一張兩萬美金的請款單。

總裁一看大吃一驚，不免埋怨了幾句：「區區四行字，就要收我兩萬美金？」

不過，約定就是約定，總裁心不甘情不願地支付了兩萬美金。

兩萬美金都付了，少說也得要有等值的成果吧。於是，總裁半信半疑、依照那四行的建議去實行。

總裁在就寢前將翌日所有必須處理的事情回想一遍，從第一項到第六項標出優先順序後，寫在一張小小的紙張上面，隔天到公司後便照本宣科地執行。結果，和以往截然不同，工作效率非常明顯地提高了。

能將六個事項全部完成的情況幾乎少之又少，但就算只處理了第一項到第四項的工作，也已經完成較重要的大事了。

即使剩下第五項和第六項尚未處理，那也不是太大的問題。隔天只要有空餘的時間再去做就可以了。因此，重要的工作就如此一件一件逐一處理完畢了。

總裁馬上將此系統導入公司，他宣告全公司的員工，將隔天必須處理的六個事項寫在紙上。此舉實施之後，工作效率隨即往上提升，業績也跟著蒸蒸日上。

■使用「鯨千分法」，多大的目標都能實現■

在此，我們來談談有關制訂計畫的基本思考方式吧。以下要說明的，就是被稱為「鯨千分法」的方式，此種方法是為了達成目標的「管理時間精髓」。

目標是一種越是遙遠，看起來越小的東西。

當我問：「你的目標是什麼？」有人會如此回答：「兩年後要精通英語，三年後要精通法語。」

三年之內要精通兩國語言，絕對不是件容易的事情。即使如此還是能夠輕鬆訂出這個目標，是因為從現在起整整兩、三年的冗長歲月中，不太容易感受到這個目標的難易度到底有多少。

就拿哺乳類中最大的動物鯨魚來作比喻吧。鯨魚離我們越遠，體型看起來就越小。

假設我們來訂個計畫，在兩年之內要將這尾鯨魚從頭到尾吃得乾乾淨淨。在兩年的時間中，一點一點地、慢慢地吃就容易得多了。

那麼，如果不是兩年的期間，而是一天的話，那又如何？這種事情用膝蓋想也知道是不可能的，依我看，根本沒有人一開始就打算用一天的時間吃掉一尾鯨魚吧？

然而，在現實生活裡，有許多人對於這種非常基本的常識絲毫不以為意，抱持輕率的態度。

譬如，我們把上述所舉的鯨魚之例，換成TOEIC測驗考八百分的目標。也就是在兩年內TOEIC要考過八百分這個目標。

因為還有兩年的時間，會有許多人因此而輕忽了目標。老是「改天、改天」地拖拖拉拉，也不知到底哪天才打算認真去學習。

時光飛逝，一年過去了，半年又過去了，自己所訂的兩年期限已經迫在眼前。也就是說，那尾鯨魚已經逼近到你的面前啦！

到了這個地步，也只能舉雙手投降了。就算慌慌忙忙拚命大啃鯨魚，也已經

目標達成的精髓：「鯨千分法」

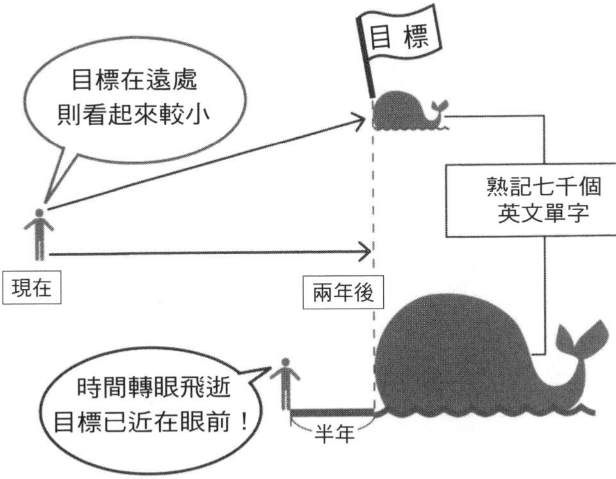

將大型目標分割成幾分便能夠達成！

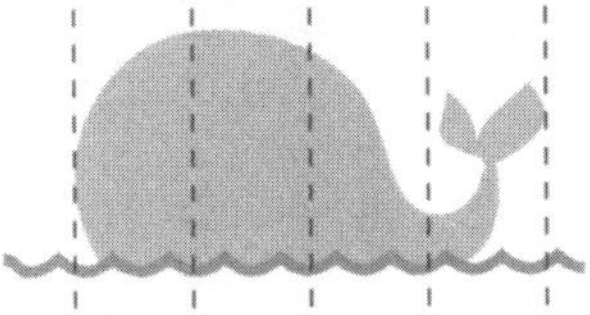

今　天——熟記 10 個英文單字
一個月——熟記 300 個英文單字
一　年——熟記 3650 個英文單字

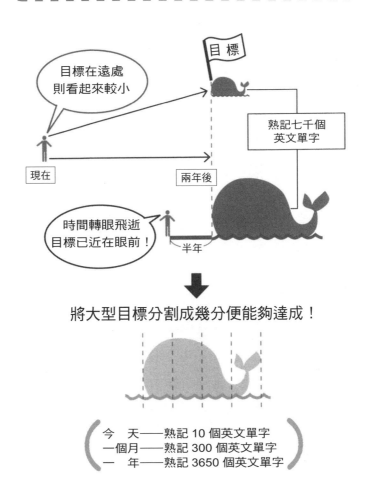

太遲了。半年的時間英文頂多能到馬馬虎虎的程度，根本不可能精通流利。最後的結果就是被英語這尾大鯨魚潑濺了一身濕答答地，還暗自懊惱沮喪。「唉，英文對我來說根本太難了！」而對學習英文死了心。

為了防止這種失敗發生，該怎麼辦才好呢？我告訴你，就從今天起，開始努力地吃鯨魚排大餐吧！

如上述所說，用一天或兩天是沒辦法吃掉一尾鯨魚的。不過，如果是兩百公克的鯨魚排的話，吃起來就輕鬆多了。

不要打算一口氣吃掉整尾鯨魚，而是把牠分割成兩百公克的魚排來吃下肚。這麼一來，就好說話啦。

這和你打算要達成一個大型目標的訣竅是一樣的，就是把大型的目標切割成幾個小份來進行。這就是達成目標的精髓，我將這個方法稱為「鯨千分法」。

比方說，你立下了一個打算減重十公斤的目標時，當然不可能一次就減掉十公斤。不過，從今天起每天慢跑十分鐘，一天減掉十公克的話，那就大有可能。

一口氣要存下台幣一百萬元（約三百萬日圓）那可是登天難事，不過，從這個月開始，少去夜店喝酒或少抽點菸，稍微節約一下存個台幣三千元（約一萬日圓），這就不是件不可能的任務了。

或是拿TOEIC測驗考八百分的這個目標來說，今天的目標就是只要熟背十個英語單字。一天熟背十個，一年就背下了三千六百五十個，兩年下來就可以熟背七千個以上的單字了。

不要打算用集中性的方式去背七千個單字，而是以一天十個單字的方式去熟背英文單字。若能如此，精神上的壓力也比較能夠獲得解脫。

在凱撒大帝的年代，有一次，多達十萬的敵軍湧進了羅馬。凱撒的副官慌張地前去報告：「糟了、糟了，大批敵軍如潮水般蜂擁而來，該怎麼辦啊！」凱撒好整以暇地說：「無須擔憂！敵人大批衝來的話就將他們分割開來，然後再逐一擊破征服！」

英語有云：「Divide and Conquer.」（分割與征服。）假若有一個大型的目標，一定要將其分割，然後再一個一個逐一擊破。

■讓熱情飆到最高點的絕佳方法■

這個「鯨千分法」也是一個可以因應壓力的方法。

各位試著回想一下自己的學生時代。期中、期末考時都是連著三天、四天、五天，在近乎徹夜不睡的狀態下拚命念書吧。

然後，好不容易考試結束了，你是「哎呀呀，終於可以好好睡一覺了！」乖乖地回家去睡覺嗎？多半應該是嘻嘻哈哈地去看電影，要不就是和朋友去哪玩吧。

當我們終於完成一件事情之後，總是不會覺得疲倦，而且壓力也會消失。但始終做不好時，不但情緒焦躁不安，還會感到相當地疲倦。

為了防止這樣的情況發生，最好不要立下太大的目標。只要訂下當天可以解決的許多小小目標就行了。這就是「鯨千分法」的重點。

以投圈圈的遊戲舉例來說，假使讓你矇著眼睛，站在二十公尺遠處去投圈圈，那會如何呢？我看，投一百個圈圈也不會扔進半個吧。那是因為目標太大的緣故。

那麼，拿掉遮眼布，把棍架挪到距離自己一公尺的地方，再來投擲看看，那又會如何？

這會兒，可能百發百中，卻變得無趣得緊。

把棍架放在約三到四公尺左右的距離，那就剛剛好。十個圈圈中大概會投入七個左右吧。只要將目標設定在大約如此的程度，就不會產生壓力了。

簡單地說，目標就是一種非常值得去完成的願望，除此之外，目標也必須被分割成為可完成的願望。

這對人的熱情，也就是動機也會產生幫助。目標和動機的關係如下兩頁的圖表所示，假使達成目標的成功率完全等於零，那麼將不會激發任何想要努力完成的動機。

但假若成功率是百分之百，這會兒又提不起幹勁了。雖然有某些程度的失敗可能性，不過搞不好也能成功——在這種狀況下所引發的動機，可說是屬於最高的階層。

「鯨千分法」是一種為求達成大型目標所使用的技法。大目標並非一朝一夕便能達成，而「鯨千分法」是即使目標的千分之一，今天也要盡力去達成的一種思考方式。三年是一千零九百五十個日子，有如此漫長的三年時間，就能夠悠然從容地去達成自己所訂下的大目標了。

雖然我執筆寫過好幾本書，不過，寫作這件事可真不輕鬆。

我是用電腦來寫稿子的，要寫出一本書，若以四百字稿紙來計算，也得要用掉三百張稿紙。換成字數的話，則是十二萬字。

「哎呀，居然有十二萬字啊！」這讓我重新體會到數量之多。這麼一想，馬上就感覺寫稿子這件事真是麻煩透頂。

這時候，若正好有其他事要使用電腦，我就會規定自己「一定要寫下四百字的數量」。這麼一來，每次開機，比方像是收電子郵件，或是上網搜尋一些資料

提升動機的「最適切的目標」是什麼？

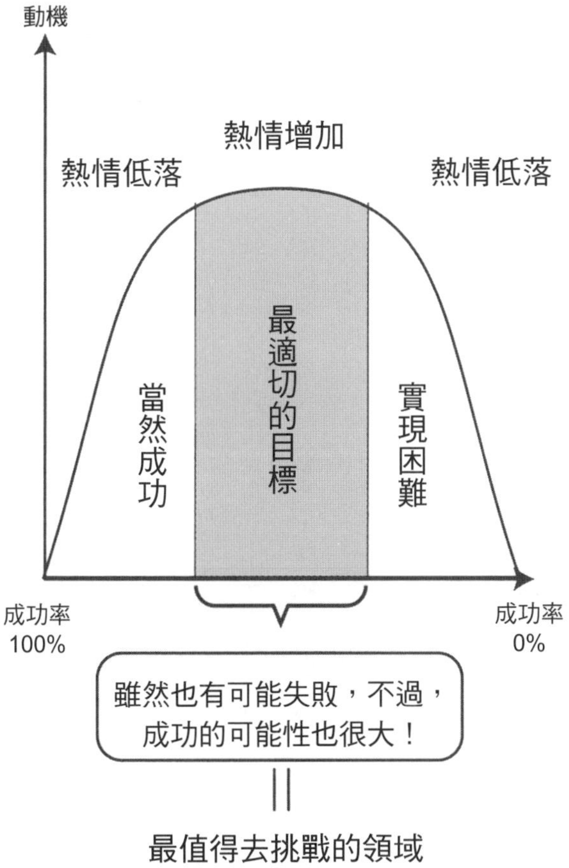

時，我就會順手寫個四百字左右的稿子。

若用此方式來進行，假設一天輸入四百個字，十個月（三百天）下來就能夠匯集成一本書的字量了。

不過事實上，因為我一天可以寫四百字以上的稿子，所以動作快一點的話，大概三、四個月就可以完成一份書稿，而且還可以有效率去運用多出來的時間。

這個「鯨千分法」可以應用的範圍非常廣泛，像是大型的目標、一些較麻煩總是拖延不處理的工作，或是無法直接看到成果的工作等皆可運用。

我再次強調，目標達成的精髓與「今天一整天，該做何事」息息相關，要將目標分割成可能達成的較小目標再去執行，而且絕對不可忘記這些小目標必須在今天就得完成。

日本有一首禪詩。

今日行十里

明日又行十里

走著走著腳步若不停
一定能夠行至目的地

我覺得，這首禪詩和「鯨千分法」頗有異曲同工之妙。

■以「七個步驟」來解決難題■

有些目標是孜孜矻矻地努力就能夠達成，但現實社會裡，卻有許多是再怎麼努力不懈也無法達成的目標。

比方說，想要在兩年後結婚的目標。

結婚基金的準備可以用「鯨千分法」來規畫，但是結婚的對象可就無法以此方法來處理啦。

即使你能孜孜不倦地四處找尋結婚的候選對象，愛神之箭能不能射中對方的心那可就很難講了。

這時候，由壓力理論衍生而來的「Seven Step Technic（七個步驟的技巧）」對你應該有所幫助。

有些男生，靦腆內向到不敢向對方提出約會的要求，就連出去約會，也總是無法將氣氛炒熱，遑論提出結婚這種事。

心噗通噗通地跳、怕得連對方的手都不敢去握。也就是說，壓力症狀已經出現，無法做出較大膽親密的舉動。

能將這種壓力症狀以階段性的方式消除掉，就是「Seven Step Technic（七個步驟的技巧）」的最大特徵。

換句話說，這和撐竿跳是同樣的手法。一開始從一公尺處起跳，假若跳個十次而十次都過關的話，接下來就將橫桿往上調到一公尺十公分的地方。

雖然剛開始跳時，十次只有一次過關，但過沒多久，便能很輕鬆地十次都跳過關了。

這時，便可以再將橫桿往上調高十公分左右。

壓力和撐竿挑一樣，必須一點一點地少量往上增加，我們稱這樣的做法為「漸增壓力」。讓自己慢慢去適應壓力，好使身心一直保持在面對適當壓力的狀況之下。

在此，我來舉一個使用「七個步驟的技巧」的例子。

山田一郎先生訂了一個想要結婚的目標，並打算在三年後結婚。這可是個不算小的目標。

於是，他將目標分割，先以一個月認識一位女性的方式為目標。一年認識十二位女性，兩年則二十四位，如此努力下來總會有點成果吧。

同時交二十四個女朋友可不是件輕鬆小事，因此首先，這個月先和其中一位約個會。邀對方一起去聽聽音樂會，或是參加公司的郊遊踏青，介紹給朋友認識等等。

還有另一個方案，就是把和女朋友結婚之前的交往過程分割成七個階段。首先認識彼此，接著是約會見面，第三階段則是介紹女友給父母認識，第四階段是相偕一起去旅行，到了第五個階段時便可以訂婚等，如此這般的安排。

雖然敘述的有些籠統，不過至少是將目標從最簡單的順序起分割成七個階段，依此方式來達到結婚的目的。

不管做什麼事情，只要每次都將目標分割成可能實現的小目標，以這種方式

困難的目標就以「Seven Step Technic，七個步驟的技巧」來解決

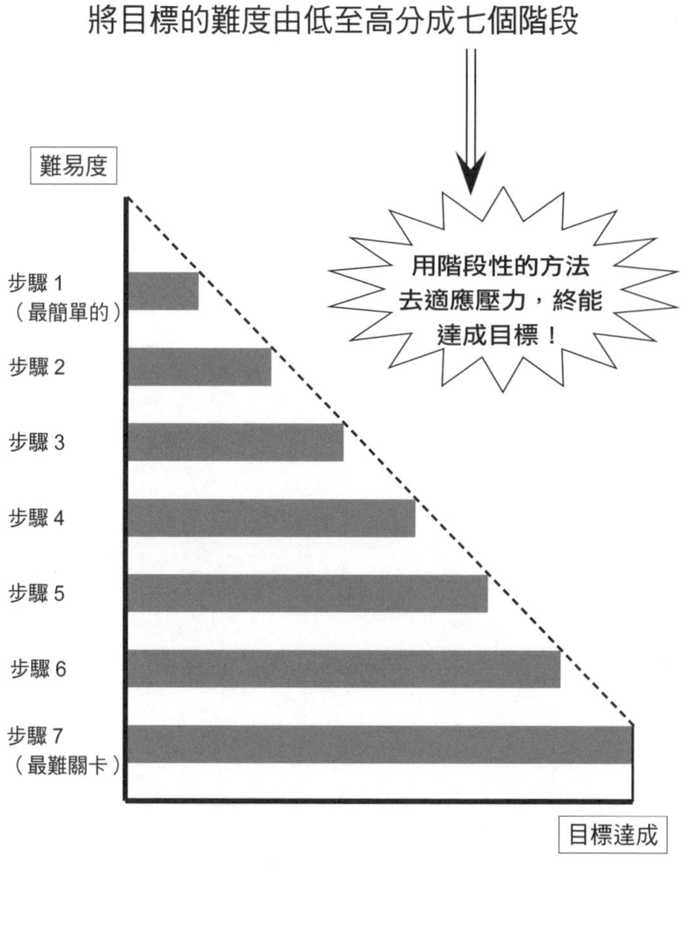

來進行，那肯定不會產生壓力，而且也不會被「唉，還是徒勞無功！」這種絕望感給折磨得悲慘兮兮的了。

所以我才說，把時間白白地浪費掉那真是太可惜了。

■利用「壓力理論」提高行動效能■

有人將壓力分成兩種，即是所謂的Eustress＝良性緊張、良性壓力，以及Distress＝不愉快的痛苦壓力。

如前所述，把投圈圈的棍架擺在距離自己一公尺前時，太過簡單會感到無趣而引不起投擲的興致，也就是完全沒有緊張感的狀態。這麼一來，行動的效能便無法往上提升（Distress）。

那麼把棍架擺到距離二十公尺的地方來試試看吧，這會兒反而成為過度壓力（Excessive Stress），情緒將變得焦躁又不安。

適合自己的壓力，最能提高行動效能，這就是所謂的「良性壓力（Eustress）」。

當我們處在這樣的狀況時，效能會被發揮到最大的限度，不但幹勁十足，注意力、集中力、熱忱都會提高，也會激發出更多的挑戰意識。

因此，為了將自己保持在適度的緊張感以及壓力的狀態下，事先規畫出應做之事，也就是時時將目標設定在不多不少剛剛好的分量之內，才是最為重要的方法。

「壓力過小，或是過大都不適當。最適切的壓力——也就是良性壓力——是使人成長和成功的最大因素。」

這個理論是由美國密西根大學尤金・詹寧（Eugene Jenning）教授所提出，我將其運用在先前所說的「七個步驟的技巧」之中。

也就是說，把壓力零當成步驟一，慢慢地讓壓力層次往上提高，然後再逐漸移往步驟二、步驟三而去。這麼一來，就能延展此人的能力以及適應力了。

因此，將目標逐漸往上提再去達成的這種方法，自然也能應用在各種層面上。

比方說，你訂下了一個讓自己能在大眾面前從容不迫地侃侃而談的目標。在七個階段中設定好壓力階層之後，慢慢地就可能讓自己在眾人面前有自信地高談

無論何時都能發揮「最高行動效能」的方法

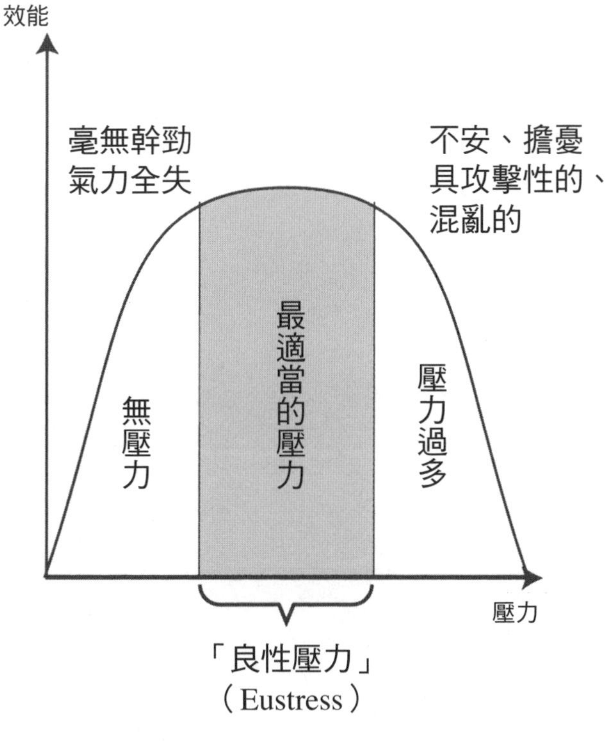

幹勁
注意力
集中力
熱忱
} 最高的行動效能

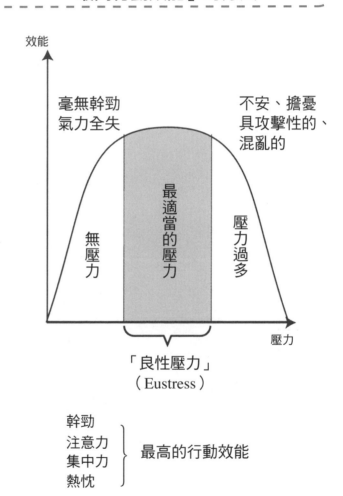

闊論了。

其他方面，像是運動、技能學習、職場晉升、能力開發等各種分野也都能運用，希望各位一定要多運用這種有效率的方法。

在這過程中，合乎自己的時間小偷是哪幾項，你盡可能先好好地想想。

第2部

成功者都在用的「活用時間」規則

將「時間表管理」以「五個計畫」來施行

◆徹底利用「時間帶」

◆先有「整體展望」才能進行「基準分配」

◆利用「規畫備忘錄」杜絕模糊地帶

3 徹底利用「時間帶」

■充分活用「清晨時間」■

有一種人「這個也想做，那個也想做」，擁有許多想要完成的願望，但真的要進入行動階段時，總會以「沒時間」作為無法執行的藉口。照這種人的說法，他「忙死了哪裡有空去做啊！」不過，真的是這樣嗎？我想，不是「沒時間」，而是「時間的用法」錯了。錯誤的原因出在對「時間」這項事物所抱持的觀點、想法上面。

用一句「沒時間」來了結的確很簡單，但這是不對的。因為不管有多麼忙碌，能否以積極的態度來思考「用什麼方法可以創造出時間？」才能對之後的行動產生非常大的變化、影響。

比方說，大多數的商業成功人士，幾乎是從早到晚忙得昏頭轉向。即使週末假日，許多人還是被預定的工作行程塞得滿滿的。越是位高權重的人，這種傾向越明顯。

即使如此繁忙，這些人也從來不曾發牢騷抱怨「沒時間」，反而非常積極、努力地去擰出一些屬於自己的時間。

譬如，活用「清晨時間」就是個很好的例子。有許多成功人士都是奉行早起主義，也因為有效運用清晨這尚未沾染喧囂的一小段時間，而得到了不少的好機會。

其中最具代表的例子，就是讓日產汽車公司起死回生、奪回勝利寶座的大功臣卡洛斯・高恩（Carlos Ghosn）。

高恩最出名的，就是他比任何一位員工都還要早到公司，大約早上七點多就上班了。高恩一進辦公室，第一件事就是上網，快速確認股價以及收發電子郵件。接著看過當日的時間表，再對重要的案子仔細思考作出判斷。

對高恩來說，早晨這短暫的時刻是能磨亮自己的特別時間，可以說他活用了清晨這段時間，才能一次又一次地提出經營策略的祕密武器。

順便一提，因為高恩的影響，公司的重要幹部們也都養成了清晨上班的習慣。據說拜高恩所賜，「遲到」這個名詞，從此在日產汽車公司中銷聲匿跡。

其他一大清早就全方位活動的著名人士，還有豐田的奧田碩（注1），Seven & i Holdings的鈴木敏文（注2）等。

就算無法達到和他們一樣的水準，我周遭的成功者也都毫無例外，全是「聞雞起舞型的人物」。

註1：豐田汽車公司的董事長。

註2：日本7-Eleven公司、伊藤榮堂及Denny's餐飲連鎖店共組的控股公司Seven & i控股公司，由伊藤榮堂董事長鈴木敏文兼任控股公司董事長及執行長。

在物流業界十分活躍的營業員I先生，不管喝酒應酬到多晚，翌日清晨七點半一定準時上班，開始工作。據他自己說，因為想要多拜訪幾家客戶，為了配合客戶的營業時間，就變成了清晨上班的形式。也因為他的努力進取，才變成了一名超級營業員。

擔任某大知名廠牌商品開發部的部長F先生，下定決心挑戰艱難的國家考試。為此，他決定利用上班前的清晨一個小時來看書。孜孜不倦地苦讀一年半後，他漂亮地通過了國家考試。

還有，在地方銀行任職的H先生，為了挑戰全程馬拉松比賽，每天早晨訓練自己跑步以增加體能。一年後，他很順利地跑完四十二點一九五公里的馬拉松，這是他生平第一次挑戰。

以上就是有效利用清晨時間，而獲得重大成果的例子，這種案例可說是不勝枚舉。

其實想一想，這也是理所當然的。對於汲汲營營的商業人士而言，唯有清晨時分才是任誰也無法打擾、並能確保自己私人時間的珍貴時段。

此外，清晨能讓身心備感清爽舒暢，事務的處理也能順利進行。或許有些人是下班後才開始自己的私人時間，但晚上容易因加班而疲累不堪、有時還有應酬、朋友聚餐等其他事情的干擾。最重要的是已經累積了一整天的疲勞，哪能清醒著腦袋處理事情呢？

在這種狀態下，勉強自己看書或是培養興趣、嗜好等，也不必指望會有什麼好成效。

像這種時候，建議你不妨扔下一切，直接去泡個熱水澡，然後馬上上床睡覺，只要隔天早點起床就可以了。如此一來，不管是誰都能得到早上一個小時的自由時間。

因前一天的疲勞已消除，這時就能充分提起精神去處理工作，或是把時間用在看書、培養興趣上。

清晨的效率幾乎是夜晚的兩、三倍。實際上，要處理事情時，恐怕沒有比清晨這個時段更容易讓精神集中、保持專注。

這麼看來，不好好活用清晨時間，還真是浪費了一天最寶貴的時段。只要比平常早一個鐘頭，或者剛開始即使只是早個四十五分鐘、三十分鐘也沒關係。總之，養成活用清晨時間的習慣，是一件非常重要的事情。

當然千萬不要忘記，要明確知道自己的目的——「清晨時間要做些什麼？」想讀書的話就設定此時間讀書，因為如果目的不明確，好不容易早起製造出的清晨時間，卻很有可能浪費在漫無目的的電視上頭了。

在此，我鄭重地再強調一次，一定要懂得「活用」清晨的時間。

■完整利用「週末時間」■

和「清晨時間」一樣，能否有效利用整個「週末」時間，人生也會產生很大的變化。

一年有五十二週，而週六、日加起來，少說也有一百天以上。這麼大量的時間不好好去運用，豈不是暴殄天物？

拿這些時間去學習跟工作有關的專門知識也行，用在技能檢定的學習上也很不錯，當然也可以積極地使用在義工活動上，或是盡情享受興趣、嗜好、休閒生活等。

總之，只要能夠「有目的、且計畫性地運用時間」，所獲得的成果是相當可觀的。而「創業」，也決不會單純只是一個夢想而已。

說到「創業」，在終身僱用制度已然崩壞的今日，據聞有不少的年輕人，捨棄了以往依賴公司存活的生存方式，而立志於「創業」。

當然，伴隨「創業」而來的風險非常大，明知有風險卻抱持著「絕對有勝算、一定會成功」這種挑戰精神，我認為是非常值得讚揚的。

因此，希望各位試著去思考，今後以「創業」為目標的週末活用法。以下列舉幾個重點。

「創業」雖然講起來簡單，但對於正準備起步的事業來說，獲得Know-How、資金到位是不可或缺的，而要同時具備這些個別條件是非常不容易的。

所以，在此我所要說明的是前置準備的要素，也就是希望大家能夠理解最低限度「創業」的必要條件。

①經營人脈
②提高技能
③收集情報

⑴經營人脈

平日培養的人脈，會有所謂商業範圍內的限制。不過，若是週末，就不會被侷限於這個範圍中，而且也能擴展出各種不同區塊、不同領域的人脈。因為不斷地擴展「與自己創業相關」的人脈，所以能藉由人脈間的共同聯繫而獲得相乘效果。只要積極主動地進行仲介、介紹等，便能將相互的聯繫往來擴展得更大。

另外，利用口耳相傳的「口耳之學」，也較容易吸收新的知識、情報等，可說是好處多多。

⑵提高技能

正因為週末是一個容易取得的完整時間，當然最好是使用在提高和創業有關的技能上。假使能將整個週末用在提高自己的技能上，那麼在三年內成為此行業的高手，也絕對不是個夢想。

雖然我個人一年要舉行三百場以上的演講及研討會，但因為能夠靈活運用週末的時間，讓我取得了「職業級」的衝浪指導員資格。

只要熱情十足，不管是取得資格或是其他事情，都有可能實現，這便是重點所在。

(3)收集情報

若是商業人士，當然會隨時收集有關工作方面的情報。但平常的工作都已經忙得焦頭爛額，光是收集資訊就已經耗費不少體力了，根本沒有時間把這些資料一一分類整理、編序等。

因此，我們可以利用週末的時間，一口氣將資訊全部處理妥當。

假設週一到週五的五天之中，每天各收集十個情報，五天合計可收集五十個情報。接下來還可以利用週六、日兩天時間，再集中收集五十個情報。

總計收集了一百個情報後，再將這些情報一鼓作氣整理好，並加以分類編序。

倘若能夠在週末的時間，徹底實行我現在所提出的三個重點，相信在不久的將來，的確很有可能達成自行創業的目標。

4 先有「整體展望」才能進行「基準分配」

■「計畫」與「時間表」■

若去探討時間管理的意義，那就是「今天一整天，該如何活出自我的光彩」。今天一整天、或是一整個星期，該如何度過、如何活用？這時，「計畫」及「時間表」可就具有相當重要的存在意義了。

其實有許多人把計畫和時間表混為一談，嚴格來說，這兩個可說是完全不同的東西。

譬如下週星期一要與A公司的部長會面，星期二下午四點與B物產公司的佐籐先生磋商，五點半出席廣告部的會議等，這些由自己所企畫、規畫進行的便是「計畫」。

反過來說，每週星期一，早上十點到十一點是內部會議，星期三晚上七點到八點要上英語會話課等，諸如此類事先早已決定好的、無法移動的行程便是「時間表」。

所以說，小孩的學校課表並不是計畫，而是時間表。

我們若能清楚、明白地區分出計畫和時間表的不同，那麼，便可以更迅速、確實地管理自己的時間。

將工作的行程時間格式化之舉，在某種意義上等同於將其培養成習慣。因此，若能夠清楚且周密地訂出行程時間表，便不至於陷入忙亂無章的窘境，能夠圓滑順暢地處理好工作。

■「可用時間」的活用法■

使用時間的方法中最重要的，並不是針對已經決定好的事情，而是空下來的時間要做些什麼事。這就是所謂的「預約時間（Booked Time）」與「可用時間（Available time）」的思考方式。已經被決定好的時間稱為「預約時間」，而剩餘的、接下來打算如何去運用的時間則稱為「可用時間」。

各位一起來看看，以下就是我某天的整日時間表。（請參照第八十九頁）。從九點～十七點為止的預定如下：九點～十點開會，十一點～十二點製作資料，十三點～十五點半磋商，十六點半～十七點半內部會議。在這種情況下，九點～十點、十一點～十二點、十三點～十五點半、十六點半～十七點半等，是屬於預約時間，也就是被決定好的計畫。

我們必須去管理的，並不是這些時間，因為這些都是早已被決定好的時間，自己不能任意更改。

照這個時間表來看，十點至十一點為止的一個鐘頭，十二點至十三點為止的一個鐘頭，十五點半至十六點半的一個鐘頭等，是屬於可用時間，也就是應該活用的剩餘時間。

活用時間最重要的，就是事先計畫在那段時間該去做些什麼，設定好優先順序。只要事先計畫好當日應做之事，就能有效率地去運用可用時間。

所謂有效運用的可用時間，是指到最後會和自己的目標有所關聯的時間。當你把目標畫分成工作上的與個人的兩個目標時，剩餘的時間就可以使用在這兩個目標上了。

若是身在公司，那就使用在達成工作的目標上。若是私人時間，就使用在達成自己個人的目標上面。這不就是管理時間最重要的一件事嗎？

不過事實上，當手邊有空閒的時間時，大多數的人只會邊想著接下來該做些什麼才好，最後總是無所事事地虛度了光陰。

就像先前我所舉的一個實例，雖然你已經立下了想要讓英文更精通、更流利

這就是盲點！能使用的時間竟然還有這麼多！

預約時間（Booked time）…………要做之事早已**決定的時間**

可用時間（Available time）…………應該去活用的**自由的時間**

◎某日的時間表

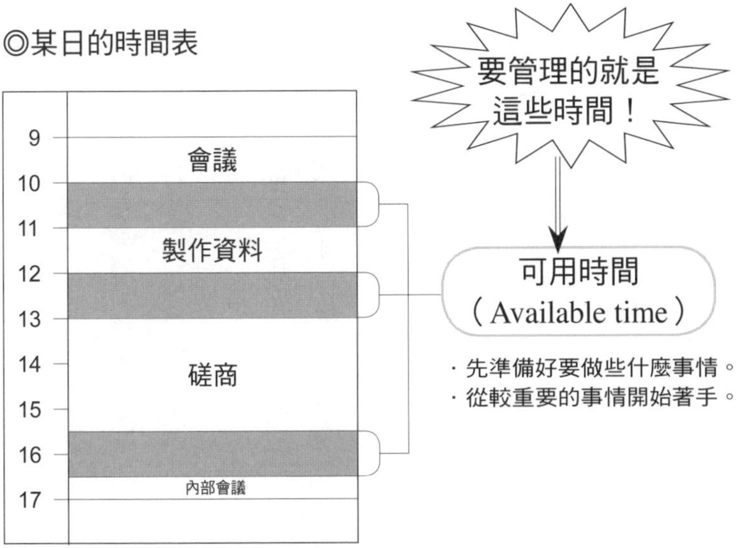

・先準備好要做些什麼事情。
・從較重要的事情開始著手。

的目標，但是，有閒餘的時間時卻不是用在學習英文上，反而把時間浪費在身邊的一些雜七雜八的事，或是任何時間都可以處理、與目標毫無關係的事情上面。

如果在平時就將想完成的目標寫在紙上，然後放在身邊，只要時間一空下來，就會將時間用在排定的優先順序中最高順位的目標上。這就是所謂的「可用時間」的思考態度。

因此，自己的「可用時間」大概有多少？能不能明確區別出「可用時間」和時間表，也就是已決定的時間。再者，將「剩餘時間要做些什麼」，填滿「可用時間」，設定好這個動作也是管理時間的重點。

以往利用記事本來管理自己時間的人，都只是單純地把「預約時間」，也就是已經決定好的時間填進去而已；對於更重要的「可用時間」，也就是該去運用的剩餘時間，可說是完全沒有概念。所以，這些人充其量只有「空出來的時間該來做些什麼」這種程度的觀念而已。

在自己所擁有的資產中，最重要的其實就是必須活用「剩餘時間」。

那麼，到底這時候自己該做些什麼才好呢？那就是在前一天便先將計畫制訂好，這點務必放在心上。我給大家一個建議，可以在前一天，公司的工作結束時，或者是晚上睡覺前，拿出一張紙，把隔天的計畫詳細地寫下來，好讓自己可以確實活用「可用時間」。

■利用「候補名單」來填滿「空隙時間」■

上述關於時間的使用方法，也適用於「空餘時間」的思考方式上。

工作有大的工作和小的工作兩種。所謂大的工作，若以推銷員為例，那大概就是銷售販賣的工作吧。

譬如，有位推銷員在三越百貨公司推銷產品，過了十五分鐘後，這回換去高島屋做生意。

再過十五分鐘，又前往東急百貨公司推銷，接著過了三十分鐘後，再轉往西武百貨。這麼一來，在一來一往的等人時間中，一定會出現一些接縫的時間。我將這個時間稱為「空隙時間」，或是「零頭時間」。

這個零頭時間，一天若以兩個鐘頭來計算，一年就是七百三十個鐘頭。七百三十小時除以二十四小時的話，可以知道大約是三十天。

「空隙時間」的超級活用法

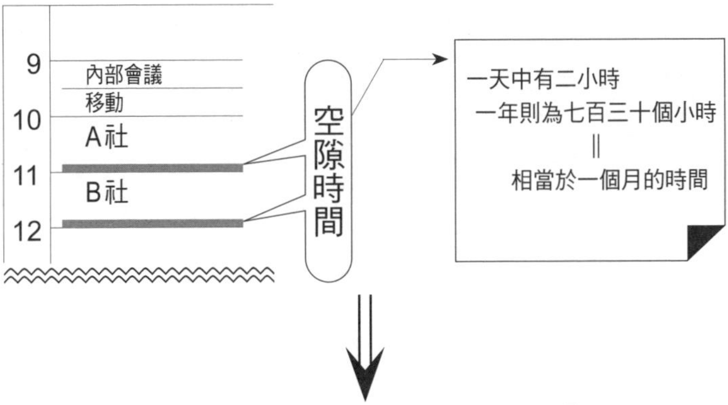

利用「候補名單（Waiting list）」來填滿「空隙時間」

■候補名單（Waiting list）

- 跟新客戶預約拜訪時間。
- 寫感謝函給往來客戶A先生
- 整理資料
- 找尋餐會的地點
- 上網收電子郵件

⋮

⋮

選出用十五～三十分鐘左右就能處理妥當的簡單工作列成清單

一天兩小時的空隙時間，累積一年後竟然相當於一個月的量。看來，如何有效地活用這些時間，已然成為一個非常重要的課題。

那麼，到底該如何才能有效地活用「零頭時間」、「空隙時間」呢？

首先，把十五分鐘左右就可完成的工作製作成一份清單，邊巡視清單邊作出決定，若有空餘時間就先處理這件事，接下來空出的十五分鐘再來處理這件，下一個空出的三十分鐘則處理另外一件事。

也就是說，將比較簡單的工作、不費時的工作、輕鬆的工作寫在記事本上，當手邊空出時間時，就可以拿出記事本處理一些工作。如此一來，便能有效活用空餘的時間了。

若經常隨身攜帶這種應該可稱為清單的「候補名單」，就能有效活用身邊的零頭時間。我個人則是製作了一本如表單（請參考第九十三頁）般的小型記事本，將所有的小目標清單化。

飛機的訂位排序也是同樣的道理。比方說在出售機位時，會讓負責處理訂位的職員在原有一百名的機位接受一百一十名左右的預約。因為當天一定會有客人取消機位，一百一十人的預約中，有二十人取消機位，這時讓候補機位的十名旅客搭乘，那麼起飛時就正好是一百人。拜此機位候補之機制所賜，航空公司便能經常班班客滿地飛航各地了。

時間的使用方法亦然，只要準備一份候補機位的名單就行了，一有空出來的時間便將它給填得滿滿的，隨時保持滿座的狀態，如此一來便可以有效地活用時間。

■「平衡感」能讓「同時進行」更有效率■

今天早上，我進入辦公室後，便拿出前一天已訂好的計畫。想依照優先順序準備開始處理工作時，內線電話突然響了起來。

原來是要在會議室召開緊急內部會議，於是我便中斷手上的工作，前往會議室開會。

好不容易內部會議結束了，回到辦公室正打算開始處理工作時，這回換部下跑來說：「有位沒事先預約的推銷員想要拜訪您。」

「像這種事情就直接回絕掉！」

「可是，他說是您大學時代的友人介紹他來的。」

「是喔，那看來，非得見見他不可啦。」

於是，無可奈何下只好接見了那位推銷員。

會面結束後，心裡正想著終於可以處理公事時，電話響了，這回是客戶打來的抱怨電話，說是訂購的商品尚未送抵……

就像這樣，我們一直想好好地掌控自己的時間，但事實上，卻是被他人給操控了。

一家公司的管理者，經常被比喻成耍盤子的雜技人。有時轉一轉人事管理的盤子，採用新員工，讓他們勤奮的工作；有時也得轉一轉財務的盤子，從銀行貸款出來，靈活地去運用，讓財務狀況轉危為安；還有製造產品的這個盤子也得要隨時轉轉才行。

在諸事行進當中，若有人辭職不幹，就又得回去轉動人事的盤子。接著，輪到去轉銷售市場和販賣的盤子；因為工廠的生產停滯不動了，所以必須得去轉轉工廠的盤子。下一個要去轉轉新產品開發的這個盤子，因為這回換這邊的生產線發生大塞車的情況。就像這樣，管理者非得隨時去將所有的盤子一起轉轉不可，因為，保持這些盤子的平衡是非常重要的。

不過，雖說平衡是非常重要的，但實際上，如同上列所述，自己是沒辦法完全掌控自己的時間的。

老被上司指派去做東做西，半路又殺出同事或客戶搶走自己的時間，就算是擁有個人的時間，卻總是被他人操控。

這就好像我們原想當個交響樂團的指揮家，卻沒當成，只成為一個被繩索操縱的木偶。

雖然能夠巧妙地掌控自己的部下和工作，並讓他們演奏出悠揚美妙、動人心弦的交響樂曲，但事實上，自己所扮演的角色還是個被擺布的木偶。

■從「現在要做的事」開始進行■

要避免這樣的事情發生，該如何是好呢？並不是只顧眼前、不顧將來漫無目地去蠻幹，而是要隨時考慮到所謂的優先順序。也就是說，當下該做哪些事才是最重要的。

被譽為「現代管理學之父」的彼得・杜拉克（Peter Ferdinand Drucker），針對工作提出了以下三個重要的法則。

①要做得更快。
②要做得更好。
③去做你現在應該做的事。

我認為，第三項特別重要。因此，就必須去理解何謂「這個就是現在應該去做的事情」。

除此之外，還要仔細地設定出優先順序，並且按照其順序去處理及進行工作項目。

那麼，該怎樣才能做到這種程度呢？

首先，將自己的規畫備忘錄中所設定的目標畫分成：大目標、中目標、小目標，接著再將這些區分成：本月目標、本週目標、今日目標，然後將這些目標設定好優先順序。這就是把目標仔細分類後，再將其筆記化的一個做法。我將這個方法取名為「耍盤子意念」。

也就是說，目標分成好幾個領域，有販賣的目標、製造的目標、新產品開發的目標等等。而轉動這個盤子的，就是一個為求達成目標的戰略、戰術。

「行動計畫」的英文是「Action pragram」，而有一份讓各種規畫一目瞭然的備忘錄，是一件極其必要的事前準備。

這就是所謂的「規畫備忘錄」。隨身攜帶、時時審視，如此就能夠隨時展望

讓「整體展望」一目瞭然的「規畫備忘錄」

〔工作〕

	大目標	中目標	小目標
本月	與新客戶訂立契約	將新的營業擴展策略彙整成書面報告	在不同業種的交流會中經營人脈
本週	磋商	彙整一週中所提出的構想	與工作相關的業種、領域的研究
今日	與客戶預約會面時間	提出構想	申請參加不同業種的交流會

整體，在工作上便能言之有物。理由何在？因為擁有「規畫備忘錄」，才有可能概觀整體、展望未來。

那些你所轉動的盤子，也就是利用規畫備忘錄讓自己隨時擁有對工作的整體展望。經常以年單位、月單位、週單位、日單位等方式制訂出計畫，並掌握住自己工作的整體狀態。

若能如此，那些焦慮的情緒、混沌不明的狀況，就可以迎刃而解了。

5 利用「規畫備忘錄」杜絕模糊地帶

■一本「記事本」實現人生所有計畫■

記事本並非單純只是個管理期程的道具而已，它更是一個能夠實現人生目標的法寶。倘若你也能夠有效率地使用記事本，不管是時間的管理，或是目標的管理，都能如願以償。

近幾年來，記事本的使用蔚為風潮，從最早期的小型記事本到多功能的系統記事本、電子記事本等等，種類繁多、琳瑯滿目。不過，種類多寡無關緊要，最重要的是記事本的使用方法。

為了能夠具體實行之前我所提及的時間管理、目標管理的技巧，我來跟大家介紹，如何利用記事本製作「規畫備忘錄」。

以「規畫備忘錄」的實際範例而言，其內容要具備以下五個階段：

①長期計畫
②年度計畫
③月計畫
④週計畫
⑤日計畫

⑴長期計畫

這是指三年後或五年後應有的願景，甚至有些公司還擬定了十年後或二十年後的長期計畫。雖說是長期計畫，但因為有太多無法預知的因素，因此目標較概

「長期計畫」的基本格式

		200X			201X					202X	
我的年齡											
	事業年度										
	毛利目標										
	經費預算										
	保留盈餘										
	累計										
	員工人數										
	其他										
學習計畫											
收入											
副收入											
收入合計											
經費生活費											
小孩的教育											
結婚											
耐久財											
支出											
預備費											
貸款											
支付利息											
年儲蓄金											
不動產											
動產（股票等）											
備　考											

略，未來可能會有大幅度的修改、更正，類似展望的目標設定。

二十年後的情勢，簡直有如天上飄浮不定的雲朵般無法去掌握，也因為不確定因素太多，無法預測未來，所以就會有人大言不慚地說：「哎呀，人生只能聽天由命、順其自然啊！」不過，在你悠哉懶散地度日之際，時間也不斷地往前飛逝，等你回過神時，早已為時已晚了。

行銷高手法蘭克．貝特格（Bettger Frank）說過一句話：「當你還在猶豫不決的時候，事情恐怕已經變得不可收拾了。」這是我十分喜歡的一句座右銘。

打個比方來說好了，每個二十五歲的推銷員大概都抱持著二十年後，四十五歲時想當上業務部長的願望吧。如果你懷有這個夢想，那麼，則更要從現在起去實行，五年後要當上主任、十年後當上股長、十五年後當上課長、二十年後當上部長這一串步驟。

「長期計畫」的實際格式詳載於前頁表格（請參考第一〇五頁），希望您也能下點工夫去擬定自己的長期目標。

⑵年度計畫

我們所使用的時間單位是：年、月、週、日。因此，若長期計畫已大體擬定好，接下來就來制訂最大的計畫週期——「年度計畫」。

可能的話盡量製作成一整頁的尺寸，最好是能夠概觀整體的跨頁。

「年度計畫」擬定好之後，為了達成目標、盡早展開計畫的制訂，也必須靈活地安排、分配時間。因此，在年底時要先決定好明年應當達成的目標，並將此當作基本的目標。

其次，該決定如何達成此目標的手段、問題，並以此為基準，決定一個概略的天數。

製作年度計畫時，要製作成一年三百六十五天能一目瞭然的計畫表，每個月可以填寫一、兩個預定計畫，最多不要超過三個。

而首先必須要先行考慮的，就是以下的五個要素。

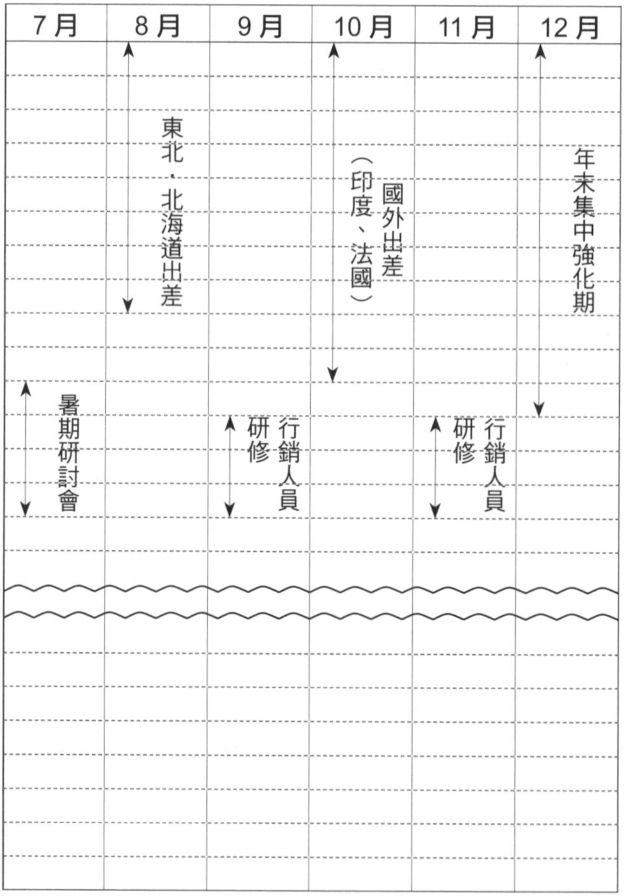
7月
8月
9月
10月
11月
12月
東北、北海道出差
國外出差（印度、法國）
年末集中強化期
暑期研討會
行銷人員研修
行銷人員研修

「年度計畫」的填寫範例

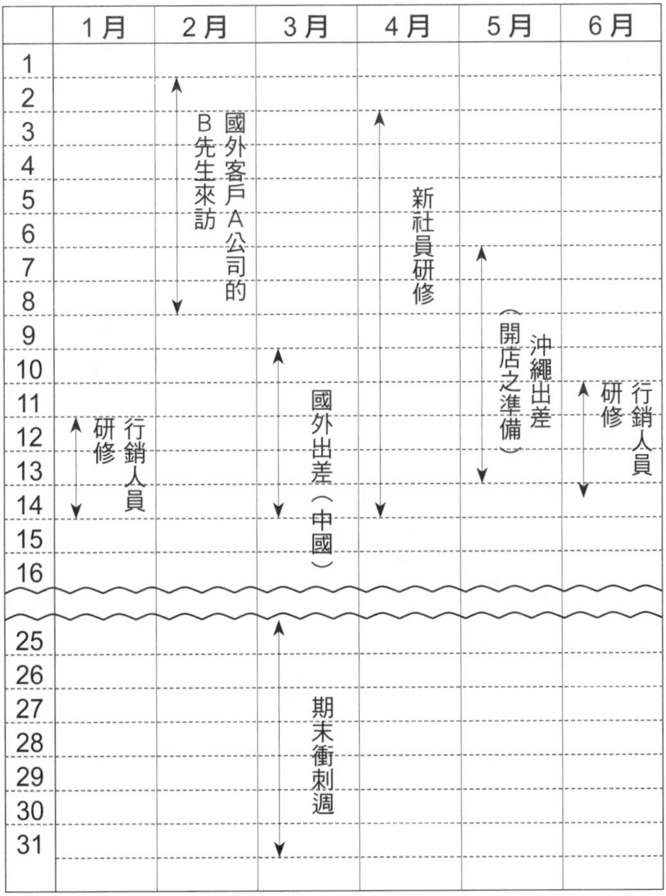
1月
2月
3月
4月
5月
6月
1
2
3
4
5
6
7
8
9
10
11
12
13
14
15
16
25
26
27
28
29
30
31
國外客戶A公司的B先生來訪
新社員研修
沖繩出差（開店之準備）
行銷人員研修
國外出差（中國）
行銷人員研修
期末衝刺週

①最低限度要實行的課題，也就是將所謂的「鯨千分法」的那尾鯨魚明確找出來。

②假日、餘暇時間的預定計畫與此期間想做之事。

③報告書的期限、全國大會等定期性的日程時間表。

④各目標範圍應分配大約多少的天數？

⑤國外出差、長期出差的預定。

利用以上的要素，讓已經完全排滿的日子，亦即「預約時間（Booked Time）」一望便知；而需要花費多少時間，才能達成以年度為基礎所設定的目標，更是一目瞭然。

⑶月計畫

制訂一份計畫表，基本上是以「月」作為單位。

「月計畫」的填寫範例

6 July 20XX

Monday 星期一	Tuesday 星期二	Wednesday 星期三
		1 10:00～ 例行會議～
6 12:00～ 與A公司的B先生共進午餐	7 13:00～ 與新客戶X公司磋商	8 19:00～ 上英語會話課
13 ←	14 暑期研討會	15 →
20	21 12:30～ 例行會議～	22 10:00～ 上英語會話課
27 ←	28 出差 →	29 19:00～ 上英語會話課

以「年度計畫」為基礎，每個月必須擬定課題目標，也就是選出要享用的「鯨魚排大餐」清單。為了達成此目標，時間上的分配就非常重要。

「月計畫」與上述的「長期計畫」或「年度計畫」最大的不同點，在於其行事曆（Appointment Book）的色彩較為濃厚。

首先，先將約會，也就是會議、面談等約定或預約寫上去。接下來，確認剩餘的時間，也就是沒有任何約定的時間、日程，而這些剩餘的時間便可以使用在當月預計要吃光的「鯨魚排大餐」上。

假使這尾大鯨魚是明年三月要參加TOEIC測驗，那麼這個月必須要做的事情就是熟背三百個英文單字。而這三百個單字就是英文的「鯨魚排大餐」。

以此類推，每個月的重要課題，不管是個人的或是跟公司相關的，先設定好各領域的目標（「鯨魚排餐」也要設定），然後再進行時間分配與管理。

而這些事情，必須在前一個月的月底前就進行。

(4)週計畫

所謂的「週計畫」（Weekly Plan），是指介於「月計畫」（Monthly Plan）和「日計畫」（Daily Plan，一天的行動預定表）兩者之間，比月計畫更為詳盡。

也就是說，在各週尾聲之際，邊參考「月計畫」，邊將隔週應做之事填寫上；比方說，會議的預定、與他人的約定，以及進行這些計畫時必要的時間。這是為了能讓當週最有效率地活用的精練戰略。

「週計畫」與「月計畫」不同，以會議為例，因為可記錄的空間較為充裕，因此便可以詳細地寫出與會者名字、議題名稱等。

除此之外，這個空間其實也可以當作日記本來使用，像是記錄會議時所商討的結論，或是面談時決定的事項等等。

「週計畫」的填寫範例

7 July 20xx

	9 · · 12 · · 15 · · 18 · · 21
MON 10	9:00～ 例行會議；15:00～ 拜訪A公司
TUE 11	10:00～ 拜訪B公司；12:00～ 與C公司之T先生；19:00～ 英文會話課
WED 12	10:00～ 內部會議；18:00～ 研討會
THU 13	大阪出差（13～14日）
FRI 14	大阪出差（13:00抵東京）；14:00～ 開內部會議

⑸日計畫

「日計畫」是每日填寫、可以當作當日的行動預定表。在前一天將隔日應做之事，全部先預定好時間，然後逐一依照時間順序、優先順位等填寫進去。正因如此，就必須要準備三百六十五張日計畫表。

當然，星期天你可以自在輕鬆點，若無須擬設任何計畫，那麼大約三百張左右就夠用了。

總之，日計畫可說是行事計畫的基本，因此有舉足輕重的地位。

一位我所師承的禪學大師對我說過一句話：「要把今日一天當成一生一世。」無論如何，今天一天就傾注全力地去活，把該做的事全都完成後再就寢，只要能養成如此的習慣，不知不覺就能完成目標。

美國著名的人際關係學大師，戴爾．卡內基（Dale Carnegie）曾說過：「活在今日的範疇之中吧！」這句話意思是說，無論如何，只要今天一天能以全力投球，並克服苦痛生存下去的話，明日上天又會再贈與你明亮、嶄新的一天。這句

「日計畫」的填寫範例

時間	預定	今日應做之事
8		
9	與部長開會	
10		
11	製作資料	
12		
13	與客戶A公司之B先生共進午餐	
14		
15	與C公司磋商	
16		
17	內部會議	
18		
19	研討會	
20		

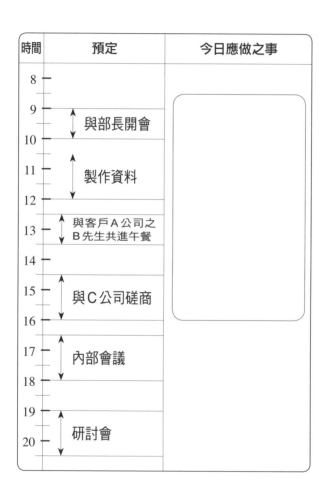

話也是奉勸大眾，不要無端浪費掉這美好的今日。

「日」這個單位，的確是制訂計畫中最小的一個單位。如果一整天的預定行動，無法明確知道「現在該做何事」，不但壓力備增，連到了晚上睡覺時也會懊惱白白浪費了一天。

順便一提，「一日」這個最小的計畫週期，一般都是以大約三十分鐘左右為一個單位來制訂預定行程。

■從「時間小偷」手上奪回時間的方法■

不知你有沒有聽說過「時間小偷」這個名詞，就如字面上所說的，這個小偷所指的就是「竊取時間的人」。

時間小偷有兩種，一種是原因出自自己的時間小偷，另一種則是原因出自他人的時間小偷。換句話說，就是盜走你時間的元凶。

譬如有人總愛叨叨絮絮地說個不停，老是不掛掉電話。這頭的人已經聽得不耐煩，想趕緊掛掉，但那頭卻喋喋不休、沒完沒了，始終沒打算結束。的確沒錯，這就是盜取你時間的時間小偷！

又或者是拖拖拉拉且毫無效率的會議，這應該算是個「時間大偷」吧！用英語來說，就是「Time Stealer」。

還有一種，是與朋友約在咖啡店碰面，對方遲到了十五分鐘的情況。你那寶貴的十五分鐘已經被他給偷了，這個「他」，指的就是竊走了那十五分鐘的時間小偷。

其他還有許多例子，譬如毫無預告、出其不意突然跑來的客人，或是頂頭上司。

還有那種晃來你辦公桌旁，東家長西家短、長舌個不停的公司前輩。

你手上有一大堆必須趕緊處理的公事，因為對方是公司的前輩，又不得不搭理。就這樣十五分鐘很快地就被盜走了。

盜取你寶貴時間的時間小偷，每天都會像這樣來拜訪你。

這麼看來，旁人、抑或是因你周遭環境的因素所引起的時間小偷，的確是多到不勝枚舉。

另一方面，時間小偷的原因是出在你自己身上的情況，當然也不在少數。

比方說，因為開不了口說「No」而接受了太多的工作。這也是時間小偷的一種。

因為工作的分量沒處理妥當，而承接太多的工作也算是時間小偷；因為書桌沒有好好收拾整理，以至於花太多時間去尋東找西，這也是時間小偷。

還有一個其實是老掉牙的問題，那就是因為溝通不良，使得原本一次就能解決的事情，結果卻花了兩、三次才搞定。光是卡在說過、還是沒說的爭執上，時間就這麼匆匆流逝掉了。

還有像是，因為工作權限沒有委任給他人，原本無須親自處理的瑣碎小事，卻落到自己頭上。

而要排除這些竊奪某人時間的因素，除了從根本上去改變自己的生活態度，或對工作事物的觀念外，恐怕別無他法。

在此，我們來動動腦筋，思考一下時間小偷的種類有哪些。

①冗長又無效率的會議，以及長舌電話
②權限的委任不充分，或是工作的分配不明確
③因缺乏優先順序所引起的混亂
④因優柔寡斷造成決定延遲

⑤無法開口說「不」因而參與過多的事務
⑥自律不足
⑦日常事務或文書資料過多
⑧時間的用法雜亂無章，譬如：過長的咖啡時間

在這當中，合乎自己的時間小偷是哪幾項，自己好好地想想吧。

■活用時間的十五個基本規則■

在此，我來談談幾個有關時間管理的基本規則。

所謂的「時間管理」，簡單扼要地說，就是巧妙地運用時間，排除掉不必要、浪費的事件。「不必要的時間」也就是「時間小偷」，在前一頁已舉出時間小偷的種類，為了排除這些不必要的事件，可用以下的十五個方法來處理。

⑴將「日常例行事務」集中後，一口氣完成

每天必須處理的事情，像例行會議、郵寄物的處理、與小組成員開會討論當日的行事曆，或者是寫回信等，日常性、經常性的工作內容，可以把處理「日常事務」的時間預先決定好。

例如將早上九點開始至十點左右的時間，訂為處理日常事務的時間，並且先將必須處理的工作列成清單，將這份清單放在隨手可得的地方，然後從第一項開始進行處理。

只要能養成這樣的習慣，便可預防沒經考慮的突發之舉，還可以預防該做的沒做，而導致後來引起的麻煩。

⑵重要的工作在「中午之前」處理好

這點的用意，是希望在頭腦的活動處於最佳狀況的時候，處理最重要的工作。

基本上，起床後的三個小時到六個小時這段時間，是頭腦的活動最為活潑的時候。

這通常是中午之前的時段，因此，最好將最困難的工作、最重要的工作、最大型的工作等，設定在中午之前去處理。

而後，將一些沒有太大負擔、不太重要的工作，分配給下午的時間，這才是上上之策。

⑶所有的工作都要「設定處理期限」

從心理學上的觀點來說，將所有的工作設定期限，是一個可以提高工作效率及生產性的好方法。理由何在呢？因為只要設定了期限，人就能夠朝著那個方向，傾注所有的努力以期在時間內完成。

假使你將工作交給某人時說：「你有空時請處理一下！」那很可能始終都無法完成。但只要設定了一個「某月某日某時之前要完成」的明確期限，他便會將此視為一個義務，並且對何時必須要完成的期限掛心。

我來說個有關拿破崙的小故事。拿破崙手上有個非常非常重要的工作，於是他喚來副官，命令副官去指派某個人來處理這件事情。

副官恭謹地說：「是，遵命。那麼我去找個有空的人，叫他去做這件事。」

拿破崙一聽，勃然大怒，並說：「你在胡說什麼啊！不是找手上有空的，而是要把這件事交給最忙的去做！因為最忙的人應該最懂得如何巧妙管理時間，所以也應該會在期限內完成工作。手上沒工作的人，都是用那種哪天再來處理的態度，所以總是無法遵守期限！」

⑷從較困難的工作開始處理

每個人的手上一定會有一些較困難的工作、不想做的工作、無趣的工作，卻很重要、不得不做。

如果把工作往後拖延的話，事情就會老是占據在腦子裡。「不趕緊處理不行，遲了該怎麼辦？」搞得自己情緒焦慮，連創造力和工作能力也都減退了不少。

就算把不得不做的工作往後延，也不會讓你變得更輕鬆。這並不是要你「先憂後樂」，而是要去養成一個習慣，先把困難的工作處理完，再慢慢處理較輕鬆的工作。

⑸簡單的工作可以擺到後頭再處理

人往往傾向先去處理較為輕鬆的工作，例如不立刻去做也無所謂的小事，或是不太重要的事情等。

不過，最好盡量養成習慣，把這種較簡單的工作擺到後頭去處理。順帶一提，這種「小問題」的工作，幾乎百分之八十都是只要放置一段時間後，便自然而然就會解決掉了。

⑹總檢查「時間的障礙物」

倘若你總是無法巧妙地管理時間，那麼就必須徹底調查原因到底是什麼。

如果你經常會睡過頭，原因何在呢？是不是前一晚看電視看得太晚了，還是晚上小酌時超過量了。

分析出可能成為此原因的障礙物之後，最重要的還是要努力去排除、解決這個問題。

譬如說，如果你經常會被那種突然跑來拜訪的推銷員，奪走了寶貴的時間，那麼就得好好思考，該如何做才能排除這種出其不意的推銷拜訪。

你可以訂出一個期間，例如幾點到幾點為止是會客時間，或者是跟同事講好，只要客談超過十分鐘的話，請同事用「會議要開始了」的方法打斷來客的長舌。

諸如此類，請同事幫忙倒也不失為一個好法子。

總之，將「時間小偷」的原因逐一分析後，再針對這些原因擬出對策才是重點所在。

(7)創意點子最好固定記錄在同一個地方

有時候，在搭車或走路這種意想不到的時刻裡，會突然靈機一動，浮現出創意點子。不過，就算你試著記住剛剛想起的點子，等你抵達公司時大概都已經忘得差不多了。

因此，要養成一個習慣：只要創意點子一浮現，就馬上記錄下來。

比方說可以在記事本的每日計畫中設置一個「創意欄位」，養成習慣把你所想到的任何事情寫入創意欄。這麼一來，就不會輕易忘記了。

沒寫下來的事情總是容易遺忘，這就是我們身為人類的一種壞習性。

然後，將寫下來的創意點子作定期性的檢查，能夠去實行的東西便盡力實行。

養成習慣把所有靈機一動的點子寫下來。藉由此舉，我們不但能防止因忘記而引起的煩躁不安，對創意點子的整理也有不小的幫助。

⑻工作一定要處理到「剛好可停手的段落」

假使你正在看書，看到文章中途卻跑去處理其他的工作的話，下回再繼續閱讀時大概又得從頭開始看起了。

因此，當你要進行下一個工作時，不管是文書資料、書籍或是工作，一定要養成一個習慣，在正好可以作為一個段落之處將工作結束。

倘若你能養成盡量將工作在告一個段落時結束的習慣，那麼，就不會忘記前後的脈絡，或是失去全體性的展望。此外，還可以避免因為要習慣新工作，而浪費掉的時間。

⑼經常設定「休憩時間」

這個動作與第三項的「所有的工作都要設定處理期限」可說是相輔相成。比方說，事先決定好一到三點就喝個茶、吃個點心休息一下，那麼這個動作就會讓你訂出一個目標，在三點之前盡量去完成大部分的事情。

然後，從三點到三點十分，休息十分鐘之後，再去決定下一個要休息的時間。在這段時間內，盡可能去設定許多目標，決定出每項工作的處理順序。

就像這樣，長時間的工作一定要作分割，然後定出短暫的休憩時間。

另外，如果遇到工作的預定進度不如己意，或是必須互相討論，而對方一直無法挪出時間，又或是討論必須要用到的資料無法準備妥當等種種狀況時，無須猶豫，馬上就把那個時候當成休憩的時間。

亦或是將那些準備資料的十分鐘前置時間，拿去處理其他的工作。也就是說，把十分鐘可以處理的工作列成清單，若空餘時間可以去處理那些清單上的工作，當然就可以更有效率地活用時間了。

⑽能夠委任他人處理的事，便交由他人負責

盡量將日常的例行公事，交由部屬去處理。為此，必須將應交付給部屬的工作列成清單，這麼一來，在進行工作分配時，會較為快速。

其次，盡量養成一個習慣，他人能夠處理的事情，便委任他人去處理。因為這個動作，能夠讓你避免與同僚、部屬，重複處理相同的工作，或是忘記去處理。

⑾無意義的閒聊要斷然說「不」

人生苦短，時間有限。所以，當旁人前來盜取你的寶貴時間時，要懂得斷然地說「不」。

譬如你正在寫報告，忙得焦頭爛額之際，別人卻跑來盜取你的時間，聊一些無關痛癢的話，像是前幾天職業棒球的比賽結果啦、相撲的比賽結果啦等等，就是屬於這種無意義的閒聊。

這時，若是意志較弱的人，就會不得已地與他人大聊起來。但如果你學會向

對方斷然說：「不」，並告訴對方：「三點之前我必須繳出這份報告不可，所以待會兒再聊吧！」

這麼一來，應該就可以排除掉「時間小偷」的拜訪了。

⑿「今日事今日畢」

當你回到家中，打算處理一些未完成的工作時，倘若工作的環境並非整然有序，大多結果就會變成看看電視，或是被老婆派去跑腿買東西，或是喝點小酒後就睡著這些情況吧。

就算你想在看完電視節目後，再去處理工作，卻已是夜半時分了，結果最後什麼事都沒做，一個晚上就結束了。這樣的經驗，我想任何人都有過一、兩次吧。

結果，留在公司加班、把工作全部處理完，即使有些勉強，這麼做反而還比較有效率。從時間管理的層面來看，處理工作時所花費的時間，必須要和花在家庭上，或是花在閒暇上的時間明確地做出畫分。

⒀不要太過吹毛求疵、要求完美

有一種人比較神經質，不管做任何事情，若不能全部完成就會耿耿於懷。這種人即使是看書，如果不從頭到尾讀完的話，大概就無法平心靜氣。

不過，假使你是為了求得知識而去閱讀書籍，其實，只要閱讀能夠獲取知識的部分文章就可以了。這時候，跳著閱讀重要部分就非常足夠了，一些比較不重要的部分可以省略不讀。

在工作方面亦是同樣道理，要去養成只處理必要工作的習慣。

⒁把每天的工作目標設定在「能力範圍之內」

據說壓力這種東西，只要工作不順遂、無法順利完成時，就會莫名地產生。

換句話說，壓力並不是因為疲勞或其他因素所造成的，而是因為事情沒去處理，或是事情無法處理等原因，導致心中有太多亂七八糟的心緒、煩惱而產生的結果。

焦慮的情緒或壓力，是由於某些無法估計可行性、可能性的困難問題，或是束手無策的大型課題所造成的。

因此，只要能將每日的工作目標，設定在可能實行的範圍之內，便能獲得令人滿足的成就感。換句話說，這種「終於做完了」的安心感，是能夠紓解壓力、減輕壓力的。

所以，要養成一個習慣，在每天下班回家前，至少要帶著一個「今日事已今日畢」的心情再回家去。這麼一來，因為工作尚未完成所引起的壓力和疲勞，也就可以煙消雲散了。

⒂即使延遲開始時間也必須先規畫

不詳加考慮就貿然行事的話，一定會造成要重新處理的後果，結果有可能反而多花了兩、三倍的時間去處理同樣一件事。所以規畫好計畫後再去行動，是極其重要的步驟。

況且，很少有事情真的緊急到連思考、決定的時間都沒有。

當然，如果目標非常明確、你也很瞭解應採取的手段，當下就可以下決定，並且馬上進行。

因此，經過思考之後再行動這件事情，並不是要你花很長的時間去思考，而是盡量去養成短且有效率的思考習慣，這才是重點所在。而這樣的能力，可說是管理時間的達人們，所擁有的共通點。

充分活用「時間」的十五個規則

① 將「日常例行事務」集中後一口氣完成
② 重要的工作在「中午之前」處理好
③ 所有的工作都要「設定處理期限」
④ 從較困難的工作開始處理
⑤ 簡單的工作可以擺到後頭再處理
⑥ 總檢查「時間的障礙物」
⑦ 創意點子最好固定記錄在同一個地方
⑧ 工作一定要處理到「剛好可停手的段落」
⑨ 經常設定「休憩時間」
⑩ 能夠委任他人處理之事，便交由他人負責
⑪ 無意義的閒聊要斷然說「不」
⑫「今日事今日畢」
⑬ 不要太過吹毛求疵、要求完美
⑭ 把每天的工作目標設定在「能力範圍之內」
⑮ 即使延遲開始時間也必須先規畫

■提升電子郵件的效率■

說到「時間小偷」，當然不能忘了電子郵件。

以電子郵件來處理每天的聯絡事項，已成為理所當然的方法。或許是這個原因，在我所舉辦的「活用時間」研討會中，有關電子郵件的管理問題，很明顯地占了較高的比例。

的確沒錯，對於一天會收到數十封電子郵件的商業人士來說，因讀郵件、回覆郵件等動作而浪費、損失掉的時間，可說是其煩惱的緣由。甚至有時候，電子郵件成為「時間小偷」的情況，更是不在少數。

話雖如此，又不能不去理會重要客戶寄來的電子郵件，因此，該如何才能減少時間的損失，就是處理電子郵件的關鍵所在。

首先，第一個必須要考慮的重點，就是設定電子郵件的優先順序。

在大量寄來的電子郵件當中，有必須趕緊回覆的重要信件，也有何時回信都無妨的信件，還有根本沒有必要回覆的信件等，全都亂七八糟地混在一起。倘若能管制這混亂的交通，自然就能設定出讀信的優先順序。

接下來我所要提案的，毋庸置疑就是整頓這類交通的訣竅，這就是所謂「檢查哨」的設置方法。若能按照以下三個順序去進行，應該就可以大幅縮短你被電子郵件偷走的時間。

⑴須再確認的電郵、重要的電郵，製成圖表或用顏色區分。

對於新的電子郵件，其實無須認真仔細地去閱讀整封郵件。首先，只須大略快速地瀏覽一下，其次再將這些郵件以圖示標示：「應再次確認之郵件」、「應回覆之郵件」、「重要的郵件」等。

只要如此，便能輕鬆得知每封電郵的重要度。也因為無需逐一細讀每封新郵件，應可節省不少的時間。

除此之外，可以用顏色來區分其他寄件者或是僅寄給自己的備份，效果更佳。

⑵讀完郵件後，將其區分歸類、放入資料夾中。

整理已讀郵件的重點，是將郵件分類後再全部放入指定的資料夾之中。若能這麼做，日後想看的郵件收納在哪裡，便能一目瞭然。

不過，資料夾的分類若無詳細區分的話，那根本就毫無意義，理由何在呢？因為到底該把這些郵件收納在哪個資料夾才好，反而會讓你困惑無比，那麼將會浪費掉更多不必要的時間。

基本上，資料夾大都是依郵件內容或是寄件者來設定分類，不過，建立自訂規則、簡捷的分類等，也是十分重要的一環。

⑶使用自動分類的功能。

因為每天有非常大量的郵件傳送而來，若以手工作業的話，經常會來不及作好分類。這時候，若能使用「outlook」等自動分類的功能，那就能輕鬆地將郵件先行分類。

自動分類功能的最大特徵，就是能將設定好條件規則的郵件，自動做出分類。因此，嚴謹地進行條件設定，可說是比什麼都重要。倘若條件設定不完整，則會漏看了重要郵件，造成過失，因此要特別注意。

順便一提，收件者、主旨、寄件者、內文等的設定規則，和一般郵件相同。

總而言之，電子郵件的使用，是有個人化的差異，所以在執行時多採取靈活、機動性的調整，才是重要之舉。

■提高「時間密度」的七個技術■

⑴積極實施「一心多用主義」

關於此點後面的文章會詳加解釋，不過，我們的確有可能同時處理十個左右較輕鬆的工作。若是應用在時間管理上，就是同時多方處理的意思，也就是「分時處理（Time sharing）」的概念。

我每天早上六點半起床，起床後先到玄關去拿報紙。雖然家裡訂了「日本經濟新聞」、「朝日新聞」、「讀賣新聞」等好幾份報紙，不過，我只拿了「讀賣新聞」和電動刮鬍刀進去廁所。藉由一心多用，我可以看報紙得知國內外大事，同時刮鬍子、上大號，一次搞定三件事情。這就是同時處理多件事情的法則。

從廁所出來後，接著去刷牙。邊刷牙邊扭開收音機收聽AFN（American Forces Network，美軍放送頻道）七點的晨間新聞。就這樣，邊刷著牙邊得知國際新聞，又邊學習英文，一次做三件事情。而這也是一心多用，同時處理多件事情。

吃早餐時盡可能和小孩一起吃，順便問問小朋友學校的狀況、遊玩的狀況等。藉由此舉，能一面加深親子之間的感情，又能一起吃早飯，可說是一舉兩得。

通勤時間也可以用同樣方式處理，準備好音樂，帶著「日本經濟新聞」去搭電車。因為住家遠在鎌倉，通勤時間大概需要一個小時左右，如何有效利用這個通勤時間，便是重點所在。

因此，我一定會將一週的車內時間的使用法，寫在記事本中，然後，在往返兩個鐘頭的時間裡，按照事先所預定的使用法一一實行。

也就是說，搭車通勤時，我會看「日本經濟新聞」、決定股票的買進賣出賺上一筆，剩下的時間利用手機學習一些東西。換句話說，收集情報、賺錢、自我啟發、通勤，一次可以搞定四件事情。

其他還有像是因公出差國外時，順道在機場的書店逛逛。那裡的書店都會擺放那個國家的暢銷書等。如果正好看到滿有意思的書，偶爾還會一時興起帶回日本，搞不好還可以試著去翻譯等。

我還會一面等登機，一面構思下一本書的內容，如此就能有效地活用時間了。

當你處理「較輕鬆的工作」時，也要時時掛心是否能同時並行幾件事情，而這就是學會有效活用時間的要件。

⑵特意將工作期限設定得較短

我們人一旦遇到緊急狀況時，總是能夠發揮意想不到的力量。在工作方面亦然，有許多時候，期限越是迫在眉睫，集中力就越高，反而越能發揮工作的效率。

就拿發生在我身上的一個例子來說吧。我應出版社的邀稿，為某雜誌的下月號刊寫一篇大約三十張稿子左右、有關「激發推銷員的動機」的文章。

「好的，我知道了。截稿日是七月十五號，還有一個多月的時間，沒問題就交給我吧！」我如是說。

可是，我卻老想著時間還早改天再寫、改天再寫地一直往後拖延。就這樣，一個月的時間中連半個字都沒動筆。

終於到了七月十五日，出版社的編輯打電話來。

「箱田先生，今天要過去拿上次拜託您寫的〈激發推銷員的動機〉的稿子，沒有問題吧！」

「哎呀，我還沒寫耶！」

「啊，還沒寫?!欸……今天是截稿日耶！」

「是沒錯，不過，我還沒寫欸！」

「可是，我不是一個月前就跟您說好的嗎？」

「真是抱歉，最近忙得不可開交……」

「那可就頭大了。因為，如果今天下午三點前沒拿到這份稿子的話，雜誌的篇幅就會缺了個大洞，無論如何能不能拜託您在三點之前把稿子給寫好？」

「你說下午三點喔，可是現在都已經九點半了，只剩下五個鐘頭左右的時間，不可能啦！」

「您說不可能，那我就麻煩了。但是，我是一個月前就拜託您了啊！」

「好吧，我知道了。我盡量想辦法吧！」

於是，我上緊發條，開始在三點為止的時限裡寫起那份稿子。結果到底如何呢？

花了一個月都沒寫的三十頁稿子，我居然只用了三到四個鐘頭的時間，就寫完了！

為什麼我能做得到呢？因為藉由這個已被設定的三點為止的絕對期限，讓我把整個神經、整個精力完全發揮到極致，才能完成這分工作。

這也是時間管理的重點之一，若到達忘我境界，就能搞定一切。

因此，非做不可的工作一定要設定完成的期限，藉由這個動作，可以讓你集中精神，且更迅速地去處理所有的事務。

每次早上一到公司時，桌上總是放著許多的文件資料，有時也會有其他公司寄來的信件等。

這時候，第一個要做的動作，就是拿起這些文件，用鉛筆在文件上面寫下處理的期限。譬如說，這一份要在七月五日下午五點之前寫回信；這一份則是七月四日下午三點；這份是七月四日中午前要處理等，諸如此類，所有的工作一定要設定出處理期限。

只要所有的工作都能養成如此習慣，工作的效率必然會比現在還往上提升數倍之多。

⑶以「時間鎖」管理黃金時段

管理大師彼得．杜拉克（Peter Drucker）曾說過一句話：「管理者的時間中最重要的，就是制訂計畫的時間。」

倘若沒有制訂計畫，很容易漫無目的只憑感覺行事。

養成制訂計畫的習慣是非常重要的。不過，突發奇想地去制訂計畫的舉動，其本身就不能說是個計畫了。

所以意思就是說，要規畫出制訂計畫的時間，這就是所謂的「時間鎖（Time lock）」。

「鎖」這個字，顧名思義，就是用鑰匙鎖住的意思。換句話說，就是把時間用鑰匙鎖起來的意思。每天早上九點到九點半的短短半小時，完全隔絕與外部的所有的聯繫，把這段時間設定成只是你自己的、任何人都無法來打擾的時間。

而這個時間就可以運用在制訂計畫上面，或者把晚上的九點至九點半的時間鎖住，用來制訂隔天的計畫。

另外，也可以從星期五的下午四點開始，將時間鎖定到五點左右，利用這段時間來制訂下週的計畫表。所謂的「時間鎖」，從某個意義上來說，其實也可以說是一個「和自己開會的時間」。

在這個「時間鎖」的時間裡，不管是電話或是訪客，要與公司內的所有大小事情完全切斷，集中精神去制訂計畫、寫回信，或是處理一些必須處理的事務。

維持住這段時間，並讓其定期性，再將其養成習慣。若有必要，也可以另外找個地點，讓自己在這個時間內，能夠專心無騖地處理工作。

「時間鎖」並不一定要選在每天早上，也可以是星期五的下午、星期日中午前的時段，或是傍晚、睡前等。決定好日子及時間後，再下鎖即可。

一開始，若周遭不予以協助恐怕難以實現，不過，過了一段時間後，大家會對你的時間管理手法感到佩服，周圍的人也會樂意去協助你進行此項工作。

如果較長時間的「時間鎖」有點困難，一天只鎖個十五分鐘亦無妨。擁有自我的時間，才能進行自我反省和制訂計畫這兩件重要的自我評價。

⑷將「馬上辦主義」習慣化

時間管理的最大敵人，就是「改天再做」這個毛病。即使資料文件已送來，卻總是說改天再處理，然後順手放到桌子一角去。

下一份的文件送來後，又想改天再辦；再下一份的文件又送來後，還是想著下次找時間再處理。就這樣，桌上的文件便漸漸地堆疊成一座小山。

因為得從這些堆積如山的文件中尋找必需的資料，不但耗費體力，當然心情也會越來越煩躁。

這樣下去，幾乎大部分的資料文件都不會看，任由它們堆疊了一個月、兩個月、三個月，一直到十二月三十一日的除夕，最後還是慘遭被丟入垃圾桶的命運。

也就是說，資料文件這種東西只要一堆積，就不會想去讀它、也不會去活用它，一直擺到毫無利用價值時才又被挖出來，到頭來還是扔掉了。所以，養成當場就把資料文件解決完的習慣，是件非常重要的事情。

所謂的當場解決，換個方式來說，就是當你只要決定一件小小事情時，並不用繁瑣、拉雜地思考良久，也不用過一會兒再考慮，而是「現在」就考慮，「現在」就下決定的意思。

過於繁瑣的思考就是浪費時間，而事實上，幾乎所有的事情都是當場就能下決定的。

如果失敗的話該怎辦？如果無法稱心如願那該怎辦？老為了之後的事心煩意亂而浪費掉時間，最後不但錯失大好良機，就連所有的一切也都失去了。

基本上，所謂每日的決定事項，大體上應該是微不足道的事情，或較簡單的事情。遇到一件事情時，你可以先試著做做看，如果進行得不順利，再換其他方法去做就好了，只要能想通這個道理，就能不斷地去進行實驗、修正錯誤。

不是「改天再打電話」，而是「現在就去打電話」；不是「改天再寫回信」，而是「現在馬上就寫回信」，要讓「馬上辦主義」養成習慣。

根據思想大師諾曼．文森特．皮爾博士（Norman Vincent Peale）的說法，焦慮的情緒百分之五十與將來有所關聯，百分之四十則是與過去有關，而與現在有關的卻僅只有百分之十而已。

不過，皮爾博士還說，產生焦慮情緒的百分之九十二的原因並非起因於現實生活，而剩餘的百分之八，自己也能妥善處理。所以不要想太多，當場就處理。所有的事情當場就下決定，這才是最重要的方式。

與客戶約定會面，有些人會說：「那麼，下個禮拜再電話聯絡吧。」這可不是個好方法。

應該要說：「那麼，我們就約定下週三下午三點見面！」能夠決定的事情，一定要馬上決定，這就是重點所在。

一旦拖延的話，不光是多花兩、三倍的時間精力而已。俗話說，人是善變的動物，見異思遷是常有之事。

⑸寫下「電話計畫」預防漏失

我的公司有一位名叫岩崎的助理，他是個非常認真誠實的年輕人，很努力、很盡責地擔任我的助理之職務。

某次，我應邀前去沖繩演講，事前準備事項則由岩崎以電話和各方聯繫。

於是，岩崎撥電話去沖繩。「感謝貴單位的邀約，那麼，我們將於X月X日下午一點開始，舉辦箱田的演講會。中午之前我們會搭乘飛機前往那霸機場，請多多指教。」

說完後，岩崎掛掉電話。在旁邊聽著的我不禁開口問：「岩崎，對方派誰來那霸機場接機？」

「啊，我忘了問。我趕快去確認一下！」

說畢，他馬上撥電話去沖繩。

這之後還發生許多狀況，因為要詢問住宿飯店的地點、電話號碼等，他又撥了兩、三次的電話去沖繩。

也罷，這只不過是比較極端的例子，不過，為什麼事情會搞成這樣呢？那是因為在撥打電話之前，並沒有把應該問些什麼事情先寫下來的緣故。所以，撥打電話前要先寫好「電話計畫」，一定要在記事本上先寫下撥打的要件、內容等備忘事項。

這個動作能夠預防因為忘了問、忘了說，而浪費掉的時間和體力，而且，這與時間管理的習慣，也是息息相關。

⑹利用「三個基準」將工作分類

時間管理還有一個重點，就是他人做得來的事情，就交由他人去做。有些人是屬於事必躬親型的人，不過要知道，時間這個東西，其實是一個極度被限制的資產。

因此，為了要充分地活用時間，一些微不足道的，或是無須自己動手的事情，就應完全委任他人去處理。尤其是企業的管理者，應該要將此點銘記於心。

企業管理者的工作就像我之前所說的，類似是個耍盤子的人。要把各式各樣的盤子轉得又穩又漂亮，而這就是管理者的工作。

不過，事實到底如何呢？就算想好好去處理自己的工作，結果因為旁人的干擾，或因應旁人的要求，使得自己的時間莫名地被搶走了。

也就是說，看起來似乎是時間管理得當，其實正好相反，而是被周圍人事給管理了。

因此，我們必須要將應當自己處理的工作，和可以委任他人的工作，明確地作出區隔。

所謂的工作，可區分成以下三個種類：

①完全可以委任他人，無須回報的工作。

②必須要事後報告的工作。

③只須事前認可，事後無須回報的工作。

若能夠把這些寫在一張紙上，並分發給下屬們，部屬掠取你寶貴時間的機會，也就會越來越少。

⑺用「最初的四分鐘」創造美好氛圍

我們每天至少會努力解決掉幾件事情。

比方說，與客戶見面推銷產品，或是在辦公室制訂一些計畫等。到了晚上便回家吃晚餐，然後休息睡覺。就像這樣，時間是由許多不同的工作所組織、構成的。

關於時間的構成，美國心理學家雷納德．佐寧博士（Leonard M. Zunin）有這麼一句名言：「最初的四分鐘（The first 4 minutes），也就是說，不管處理任何工作，或是去完成一件事情，要在最初的四分鐘決定好進行的方向。」

早上起床時，因為前晚太勞累以致沒睡好，一大早就心情低落又面無表情。一想到「又要上班了，唉，真是煩啊！」於是便擺個臭臉給老婆和小孩看。然後帶著一肚子悶氣上班去，結果一整天下來心情始終好不起來。

這樣是不對的。早上一起床後要大聲地對家人說：「早安！」並且精神奕奕、生氣勃勃地對家人說：「今天一定會有好事情發生唷！」把充滿愛的早晨當作禮物獻給親愛的家人。如果能在最初的四分鐘時抱持著這種意識的話，那麼，這個美好的心情一定會影響你今天一整天的工作情緒。

還有，假使你到公司上班時帶著「唉，又要工作了。今天不知會不會發生什麼問題啊？會不會又惹頂頭上司發脾氣啊？」的心情，擺著一副不爽的臉給同事們看的話，那麼，這樣的心情也會影響到你當天所有的工作情緒。

正因如此，自己必須有意識地努力營造出最初四分鐘的美好氣氛。

譬如當我演講時，如果能在一開始的四分鐘時，將幹勁十足、活力充沛且幽默風趣的講師印象呈現出來，聽眾也會表現出非常愉快的情緒反應。

這跟你晚上回家時的狀況也是一樣的。要下班時已經累到極點了，又帶著「今天的工作還是一點都不順利，天氣糟透了、熱得半死，還被老闆臭罵一頓」這種的否定情緒，臭著一張臉回家，當天晚上肯定會過得無趣又無聊。雖然今天工作辛苦，也發生了不少問題，不過，接下來的夜晚，則要非常快樂地去度過。帶著這樣的意識去度過你回家的最初四分鐘，整個家庭的氣氛便會完全改變，自然能和家人度過一個快樂的夜晚。

能提升「時間密度」的七個技術

用「最初的四分鐘」
創造美好氛圍
積極實施
「一心多用主義」
利用「三個基準」
將工作分類
特意將期工作期限
設定得較短
寫下「電話計畫」
預防漏失
以「時間鎖」
管理黃金時段
將「馬上辦主義」
習慣化

第3部

利用「相同時間」創造兩倍成果

同時處理也輕鬆無比的工作管理術

6 讓工作效率提升兩倍的技術（其一）

■利用「錄音機理論」激發正能量■

同樣都是一天工作八小時，若將此價值換算成金錢的話，有人一天只賺台幣一千五百元（約五千日圓），有人卻賺上台幣一萬五千元（約五萬日圓）。這之間的差異到底是什麼？

其實就是工作質效上的差異。賺一萬五千元的人能夠很有效率地處理工作。也就是說，一般人都只做到十分左右，而這個人自己卻能做到二十分的程度。

激發「熱情」的「錄音機理論」

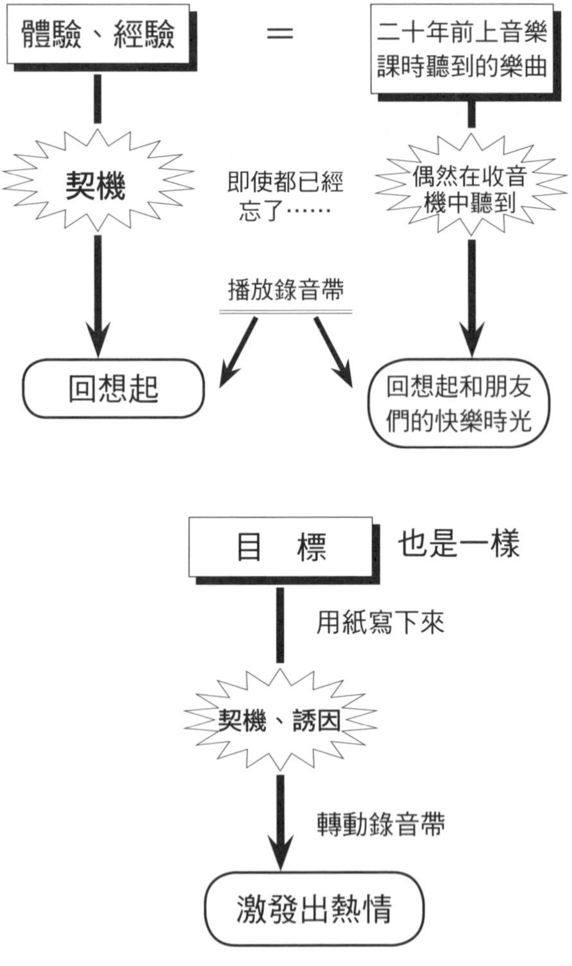
體驗、經驗
＝
二十年前上音樂課時聽到的樂曲
契機
即使都已經忘了……
偶然在收音機中聽到
播放錄音帶
回想起
回想起和朋友們的快樂時光
目　標
也是一樣
用紙寫下來
契機、誘因
轉動錄音帶
激發出熱情

那麼，到底該如何才能夠非常有效率地處理工作呢？

首先，我們在處理工作時，當然都會用到頭腦。頭腦這個東西，可說是人類所擁有的資產中最為重要的一項，而且還蘊藏著許多尚未開發的資源。

其中有幾個已經明確的研究，譬如「右腦、左腦理論」。另外，比較鮮少人知的還有「錄音機理論」的研究。

「錄音機理論」是以心理學家，艾力克・柏恩博士（Eric Berne）的交流分析（又稱溝通分析〔Transactional Analysis〕）理論為基礎架構；意指人曾經歷過的、體驗過的事情，一定會在大腦中留下記憶痕跡。

也就是說，曾經記住的事情、學過的事情等，一定都殘存在大腦的軌跡中。而這些事物會因某個契機、刺激而再度出現。也就是說，就像是一按下錄音機的開關後，錄音帶便會轉動、聲音便會流瀉出來般。

活了二十年的人，腦袋裡便存放了二十年份的錄音帶；活了三十年的人，就在大腦錄音機中存放了自己三十年來的體驗和經歷。

然而，倘若沒有任何的誘因、契機，那就很難釋放出來。比方說音樂，因為一個偶然聽到的旋律，使得二十年前的記憶錄音帶開始轉動了起來。

因為這個契機，讓二十年前讀高中時上音樂課所聽的音樂，再度迴繞在腦海中，而當時的種種記憶，也都一個個地甦醒了過來。

我們曾經歷過的、體驗過的事情，如同此般，全都收藏在我們的大腦之中。不是有這麼一句諺語「日久情疏」嗎？若要想反其道而行，那就必須去製造某些刺激、契機。

以我為例，我經常在我那本大型的記事本上寫滿了應做之事、工作目標等。每次看到寫在上面的目標時，就會因為這個刺激而開始轉動大腦錄音機，幹勁也會因此激發而出。

■「一時一事法則」■

每當人在處理較困難的工作，或是不太熟悉的工作時，幾乎都是一次只處理一件事情。我將此稱之為「一時一事」。

這個「一時一事法則」，讓我回想起一個往事。那是我還只有五、六歲左右的事情。

當時，我津津有味地看著坐在對面、非常努力幫我縫製浴衣(註)的祖母，嘴裡還不時地發問一些問題。

剛開始時，祖母的臉上掛著溫柔慈祥的微笑，一面回應我喋喋不休的發問。不過，當線不夠必須再重新穿線時，祖母的臉色突然變得嚴峻，並開始發起怒

註：夏季一種較為輕便的和服。

來。祖母對著不停問著「奶奶，妳在幹什麼？」的我，厲聲喝道：「吵死了，別說話！」

對祖母來說，穿針引線這項作業，並不是件容易的事。不過，當線穿好後，祖母又回復到和藹的面容，開始邊縫著浴衣邊跟我對話了。

從這個例子我們不難理解，不管是處理工作，還是做任何事情，只要一遇到較困難的、較不熟悉的事情時，這個「一心多用主義」就無法發揮作用了，而且還得要全心全意地、將精神聚焦起來集中於一點。也就是說，此時只能用「一時一事法則」來應對了。

■「一時十事法則」■

那麼，如果進行已經熟悉、習慣的事情時，情況又是如何？

祖母對縫製浴衣一事早就習以為常，所以才能夠一邊應付孫子的問話，還邊聽著收音機，一次進行三件事情。看來，「一心多用主義」並非是不可能的任務。

也就是說，當你在處理熟悉、習慣的事情時，可以同時進行許多工作，這就是處理工作的重點之一。

那麼，一次到底可以掌控多少件事情呢？據說，一次可以掌控十件左右的事情。

在美國的貝爾電話研究所中，進行過一個電話號碼應該幾位數較為妥當的研究。

是五號好呢，還是十號好呢，或者是十二號好呢？到十三號左右大概還可以吧，到十五號可能也還好吧？結果，數字只要一超過十位數以上，人類就非常容易忘記。若不是記錯號碼，就是想號碼想到腦袋發脹又心浮氣躁。

超過十個以上的事情就完全記不起來，看來，人類能夠掌控的範圍似乎只有十個左右。

這麼說來，如果是已經熟悉、習慣的工作，那就可能一次同時處理十件左右的事情了。我將此稱為「一時十事法則」。

比方說，要雜技的人在拋盤子或是擲飛刀時，到底一次能夠控制多少數量，其實一次只能掌控十個之內的東西，超過的話，恐怕就沒辦法控制得當了。

再來看看車子的儀表板，上面有腳下輪胎的速度表、手邊的燈號表、轉速表等一大堆的顯示表。十多個的車況警示燈號，全部集中在中控台上方的儀表板內。如果這些顯示表散亂各處的話，開車時就很難同時去掌控車子的所有狀況了。

無論是誰，我想應該都一樣，準備要考汽車駕照時，在駕訓班練習時只有一個意識，因為「一時一事法則」，幾乎都把全副精神全放在方向盤上。

當坐在旁邊的教官拚命喊著「踩煞車、踩煞車」時，恐怕也有不少人會驚慌得手足無措，大叫：「啊！煞車、煞車，在哪裡我不知道，我不知道！怎辦啊！」

而這種情形，就像是方才我所敘述的，對不熟悉的事情，一次只能對應一個所造成的結果。

不過，當開了兩年左右的車之後，不但會邊聽廣播、邊和朋友言談歡笑，偶爾也會欣賞周遭的景色，開起車來覺得輕鬆自在多了。因為習慣之後，就有可能一次同時掌控十個左右的作業了。

所以，若要把工作的處理方法，運用在大腦的理論上，只要記住，一次只處理一件事情的這個重點，比方說將辦公桌上的東西整理乾淨，只做一件現在手上正在做的工作，這樣才是一個有效率的處理工作的方法。

絕對不可忘記，「一時十事法則」只適用於非常熟悉、習慣的事情上。

另外，人類還具有一個神祕的力量：「潛意識」。

能有效率地處理工作之重點

一時一事法則

困難的工作
不熟悉、
不習慣的工作
＝ 將意識集中於一個作業上

「一心多用主義」

依照工作的內容作出區隔

一時十事法則

簡單的工作
熟悉習慣的工作
＝ 一次可以同時掌控十個左右的作業

「一心多用主義」

比方說，你正努力、認真地看著書時，忽然從隔壁傳來小嬰兒的哇哇哭聲。

「咦，是誰家的小嬰兒啊？是隔壁家的小碧嗎？小碧為什麼在哭呢？是不是媽媽不在家呀？聽說小碧媽媽最近迷上歌舞伎（註），是不是又跑去看歌舞伎了啊？欸，說到這，我最近好像也很久沒去看歌舞伎了，下次去看場《勸進帳》吧……」就像這樣，在腦海中浮現了許多思緒。

不過，眼睛還是繼續看著書上的文字。看了三、四頁之後，忽然發覺：「哎呀，真糟糕！讀了半天根本就沒讀進去！」只好又翻回三頁前的地方，重新再讀過一遍。我想，你應該也有這樣的經驗吧。這就是潛意識的作用。

在無意識的狀態下眼睛仍舊看著書，而真正的意識則是想著隔壁家小碧的事情。無意識作用下的意識，在某種情況下，可以說真是一座寶山。

譬如說，震驚世界的發明、發現等，到底是在哪一種情況下出現的呢？據說這些成果，幾乎都不是他們在研究室時所發現的。在研究室絞盡腦汁拚命地想要

註：日本獨有的一種戲劇，也是日本傳統藝能之一。

解決問題，卻總是找不出解答。

心想，再這麼下去也不是辦法，不如先休息一下，回家泡個熱水澡，明天再繼續努力吧。大腳「噗咚」一聲踩進浴缸時，忽然靈光一閃，答案蹦了出來。這應該是經常耳聞的故事。

這就是所謂的「潛意識」；雖然自己並無行使意識，但在大腦的某一區塊卻還是拚命地想去解決問題，這就是無意識下產生作用的意識。

所以，不好好去利用這個潛意識，那可真是暴殄天物，我們抱持著一個問題意識，當想去解決這個問題的意識被植入大腦時，在大腦的某處一定會努力想去解開這個問題。而潛意識的活用，對於創意構思的開發、實現美夢等，不用說當然是非常重要的一件事。

■能讓一切事物好轉的「心之法則」■

讓我們再將有效率地處理工作的重點重新整理一下。

①處理較困難的工作時，一次只處理一件事情。

②處理熟悉、習慣的工作時，同時可能掌控十個左右的事情。

③為了構思新點子，或是實現美夢，必須經常讓潛意識活動。

在此，我稍微來補充一些有關潛意識的概念。

比方說，你訂了一個「三年後要買一台賓士車」的目標。為了要實現這個目標，便經常對大腦下指示、下命令，因此腦子就不斷地湧出各種賺錢的點子，連睡覺的時候也是一直作著賺錢的夢，這就是「潛意識」。

這是一種非常方便的意識，而為了達成目標，活用潛意識可說是不可或缺。

潛意識這個東西，放到計程車司機身上也是同樣道理。

你只要對著計程車司機說：「麻煩到東京車站。」計程車司機無須多問話便會將你送到東京車站。

乘客不可以在一旁多嘴地說：「向右轉，下個路口向左轉。到了，踩煞車……」如果真這麼說的話，計程車司機大概會大發雷霆吧？

其實根本不必說話，等你回過神時已經抵達東京車站了。因為潛意識就是這麼一個神祕的東西，即使自己不去意識任何的動作，潛意識自然就會把你帶往創意的開發或是行動管理等正確的方向而去。

所謂的成功其實就是這麼一回事，只要抱著「我一定會成功」的意識，這種人最後一定都會成功的。

不過反過來說，如果一直認為自己絕對不會成功，或老認為自己將來一定會成為世界上最悲慘的人，因為潛意識裡一直有這樣的念頭，不管做任何事情總是運氣不佳，始終無法成功。

訂下一個具體的目標後，就必須將「一定要達成這個目標」的潛意識，深深地植入自己的大腦之中。

清晨醒來時，一邊抬頭看著天花板，一邊在心中激勵自己：「好耶，今天一定又是個超棒的一天！」這麼一來的話，今天就真的會過得愉快又充實。

又或者在心中暗自下決心：「好！今天一定要把這個和那個給完成！」就像伯利恆鋼鐵公司（Bethlehem Steel Corporation）的總裁一樣，寫下了六項要處理的工作後便說：「好！一定要達成囉！」每次這麼一吆喝時，便會有許多的構思泉泉湧出，自然就能夠達成自己所訂的目標了。

如果沒有如此的意識，那大概就是迷茫地起身、迷茫地想著：「今天要做些什麼事才好呢？算了，到公司打電話後再決定吧！」

然後到了公司，啪啦啪啦地翻著記事本，心中忖著：「打電話去這家看看吧，到那家去拜訪看看吧。」根本毫無任何計畫性，而亂七八糟的一天又即將開始了。

當然就寢前也是一樣的。對著自己的大腦下達指令：「明天要來處理這個、這個和這個！」這麼一來，隔天一起床時，腦子裡忽然就湧出好點子。「啊，對喔，今天這些事情就用這樣的方式去處理，也是不錯的啊！」而這就是潛意識其不可思議之力量。

比方說如果你是個推銷員，在就寢前抱持正向的念頭再去睡覺：「好，看我的，明天一定要賣到三十萬元的業績！加油！」

在你沉睡時，要達成三十萬元的念頭，就會深深地植入你的大腦中，而潛意識便會開始在大腦中進行活動。這麼一來，當你起床時，就會自然而然地想著：「打電話去這家、這家，還有這家推銷看看也許可行喔；這家的話用這個方式去說服；這家用這個推銷手法……」諸如此類的推銷點子，便會如湧泉般源源不絕地浮現出來了。

■刺激「潛意識」一切行動皆會改變■

那個會被大家稱為「創意大王」的人，是因為他不管在睡覺、上廁所、吃飯的時候，腦筋都一直動個不停。雖然自己並沒有打算不停地去激盪腦力，但大腦卻潛在性地活動著，這就是人類的潛意識。

比方說，我在心裡頭想著：「我想要一部賓士汽車。好，到明年的十月一日那天，我一定要買輛賓士車來開！」光只如此地訂立目標，是無法讓潛意識進入大腦內的。

「好，加油！我一定要買部賓士車！在十月一日那天！」但光只這樣也還是不太夠。要在腦海中描繪出一個情景：一部五百SEL、四門藍色車身的賓士轎車，在十月一日那天，亮閃閃地送到我家門口；業務員遞上車鑰匙，我接過使用說明書，跨入這部新車後轉動方向盤，緩緩地開車上路。

旁邊坐著老婆，孩子們坐在後車座，然後，從鎌倉的住家沿著湘南遊步道，經小田原開往箱根而去。

正逢初秋十月，箱根的收費高速公路兩旁楓紅層層。我一面眺望著楓葉開始染紅的遠山疊疊，一面駕駛著散發出淡淡皮革香的藍色賓士。

孩子們歡悅地說著：「哇，爸爸，賓士車真是馬力十足，強勁又有力耶！」老婆在一旁輕聲細語地說：「老公，這輛賓士真是買對了。坐起來的感覺完全不同，真是舒服啊！」

賓士五百SEL→收費高速公路→家族旅遊→時逢十月楓葉美不勝收……當這樣的情景浮現在腦海時，一大早就會讓我二話不說地蹦跳起身，大喊：「好！為了賓士車，今天一天也要加油！」

就寢時也是一樣。每個人在睡前，至少都擁有三分鐘左右的自由時間，在這短短的時間裡，把自己的願望、目標全部在腦海中繞行一遍：我要在幾歲之前達成這個願望、這個目標至少在明年前要試著去完成、明天先把這件事情處理一下……等等，把這些思緒深植入大腦之內。

為了要達成目標，那麼這個月便應處理這件事，明年應處理那件事。這麼一來，到十月一日為止只要能存上台幣三百萬以上，就可以買一部夢寐以求的賓士車了。為此，這個月的營業目標台幣一百五十萬元，說什麼也得要達成。一旦在大腦中植入這樣的意識之後，自己的行動便會自然而然地往那個方向直線前進。

■實現目標的「激勵語言」■

另外還有一件很重要的事，那就是「重要的事情要不斷地複誦」。把自己的目標寫在一張小紙條上，每天複誦一次，每晚就寢前拿出來念上一遍，把它深深地植入腦海中。

早上起床時、搭電車時、上廁所時也一樣，隨時隨地複誦。

重點在於反覆念誦這個動作。把達成感、成功感當成一種實際感受，時時品味、時時想像，並且必須要把這些當成自己身體的一部分才可以。

因為這樣的一個動作，會讓自己的願望或目標全都進入潛意識之中。就像計程車司機一樣，即使放任不理，我們自己還是會往成功的道路邁步前去。若能做到如此地步，那就勝券在握了。

就拿我來說好了，我每天邊走路邊念念有詞地說：「賓士、賓士！下個月一百五十萬、一百五十萬！」因為這個複誦，很不可思議地事情發生了。都已經二十號了我只做到台幣一百二十萬元的業績，還剩十天，無論用任何手法也得要做出三十萬的營業額。於是，打個電話給那家公司、用這個方法試試看等，各種點子便有如風生水起般，源源不斷地湧出。所以我才說，潛意識對於點子、創意構思等的開發，真的非常重要。

如果能發出聲音則效果更佳，不過，臉皮比較薄怕被旁人聽到的人，可以在心中反覆念著自己的願望就行了。這麼一來，因為沒什麼好畏懼的，人自然就能培養出強韌的意志力。

推銷產品時也是一樣。要去拜訪客戶之前，先在玄關告訴自己：「加油唷！這個月靠這個，就能達成一百五十萬的業績了。一定要想辦法把東西推銷給這個客戶！沒問題的，總之我就是強！我就是賣得出去！」用此來激勵自己、鼓舞自己的士氣。

而這就是所謂的「激勵語言（Pep talk）」。藉由激勵的言詞來提振自己的動作，對活用潛意識來說，可說是極為重要。因為必須不時地反覆念誦，在你打電話給客戶之前，便要告訴自己：「加油，這個電話一定能夠增加業績！」和他人見面時，也要提醒自己：「跟這個人見面後，一定要跟他成為好朋友！」

不管是任何行動，一定會有目的或是目標。記得要對自己的心下達指令——一定要達成這個目的！

在演講之前，我一定會用激勵的語言，給自己的心大大地鼓舞一番。「今天一定要做出一個至今為止最棒的演講！」

我一年大約舉辦三百場以上的演講、研討會，換句話說，在眾人面前說話早已是習以為常的事了。我想要表達的、想要告訴大家的幾乎都能夠知無不言、言無不盡。即使如此，我對每一次的演講、研討會仍非常用心、重視。每次要面對大家說話時，我一定告訴自己：「今天的演講，一定要成功！今天的演講一定是我這輩子最棒的一次！」

如同先前所述，我們所擁有的時間中最重要的，其實是在這當下、這瞬間，自己正在做的事情。所以對我來說，今天的演講就是我一生中最重要的大事。

不管你怎麼怨嘆昨天的演講不夠精彩、不夠好，那也已成為過去，無法重新洗牌來過；明天的事情等到明天再去煩惱就行了。今天的演講若能成功的話，一定會影響到將來的事物。正因為自己抱持著如此的信念，在每一次的演講時自然就能傾往全力、做好一切。

希望各位在做任何事情之前，也能夠對自己說出激勵言語：「我一定會成功！」

■利用「伊底帕斯效果」讓工作稱心如意■

我出身於日本茨城縣的土浦市，那裡有家稱為A醫院的醫院。A醫院裡有個半工半讀的青年，白天在醫院工作，晚上在夜校念書。

這已是滿久以前的事情了，我記得他那時在醫院都是做一些清掃、拖地等打雜工作，晚上則在夜校努力念書。因為家境貧困無法供他上大學。不過，他始終沒有放棄一絲細微的希望——無論如何，總有辦法考上國立大學。

他有個夢想：考上醫學院，以後想當個醫師。

每當他在打掃醫院的廁所時，心中便想，與其天天在這裡幹打雜的下層工作，當然要當個醫生，被大家「醫師、醫師」地稱呼著。想讓自己的名牌掛在看診室上頭，想當個人人尊敬的醫師。但是，家境那麼窮根本讀不起醫學院……就這樣，他心中的希望忽而膨脹忽而縮小。

「好想當醫生。加油！無論如何我一定要當上醫生！」

在他的潛意識中，應該有這樣的強烈想法吧。

不過，現在最重要的是要把廁所掃得乾乾淨淨才行。抱著這樣的心情，他每天都非常認真地清掃著廁所。

有一天，幸運的機會終於來臨。醫院的院長見他如此認真清掃，便問他：

「你每天都非常認真地清掃廁所，真是不簡單哪。你將來想做什麼呢？」

「我家很窮，不過我有個夢想，如果能考上醫學院，當個醫生不知該有多好。」

「喔，是嗎？你功課如何呢？」

「託您的福，成績方面還算不錯，我也很認真念書。」

「嗯，你想當醫師啊。你對工作非常用心又很認真，像你這樣的年輕人，近來已經很少見了。這樣好了，學費由我來負擔吧！」

於是，這個青年便接受了院長的援助，考上了大學，也終於進入他夢寐以求的醫學院就讀。當然，畢業後他便以醫師的身分活躍在醫學界裡。

簡單地說，因為這個青年的潛意識裡，一直抱持著想要當醫師的信念，所以才會有這麼幸運的機會落在他身上，心想事成便是這個道理。

如果他並不想當醫師，跟院長之間的對話也不可能會成立，即使被院長問及夢想，大概也只會說：「我將來並沒有特別希望做什麼。」這句話便終結了一切，或許未來的道路，便因此被封鎖了也說不定。

所以我一直強調，成功的重點，在於一定要抱持著明確的具體目標，下定決心無論如何也要達成目標，再將這個思緒深深地植入潛意識中。

《信念的魔術》一書作者諾曼．文森．皮耶爾（Norman Vincent Peale）博士，某次調查了一件這樣的事情。

在元旦那天，博士邀請了幾位學生前來家裡小聚，他對學生問了如此的問題：「你認為今年對你而言，會是怎樣的一年呢？」

「約翰，你覺得呢？」

約翰說：「我覺得今年不太好過。不只是經濟不景氣，連我公司的狀況，似乎也不太好。」

「是嗎？那，喬治，你呢，你覺得如何呢？」

「我也是不太好。因為我身體狀況一直不太好，有種好像得去住院的怪怪感覺。唉，我真的也是年紀大了。」

「喔，是嗎？那你覺得如何呢？瑪莉。」

「我也是不好耶。因為最近我們夫妻之間的感情發生了點問題，總感覺家裡的氣氛似乎會變得沉悶詭異。」

「是嗎？那你呢？」博士問了第四個人。

「老師，我沒問題。今年無論如何我一定會很努力，讓公司財務由赤轉黑，累積盈餘。」對方回答說。

「原來如此，那就太好了。還有，肯，你呢？」

「老師，今年我希望能夠有一棟屬於自己的房子，過幾天我打算到處去探探行情。」

「是嗎，不錯、不錯。那你呢？」博士又問了第六個人。

「我一心一意只想要考上我所期望的大學。」

就這樣，博士在元月一日這天，問了六個人的意見。

於是，過了一年之後，博士又邀了同樣的六名學生前來家中，並詢問他們過去一年的狀況如何。結果，說自己健康亮紅燈的人果真去住院，而說夫妻感情起變化的後來離婚了，想要房子的果真蓋了棟自己的房子，想進好大學的人也如願的考上了大學。一年之後，所有的人都如自己所說的一一實現了。

這也就是說，當人心想著自己會有什麼樣的變化時，一定就會朝著那個方向而去。這就是所謂的「伊底帕斯效果」。

伊底帕斯是希臘神話中的人物，在他出生時被預言：「你將來一定會殺了自己的父親！」他恥笑對方並說：「哪有可能發生這樣的事情，我怎麼會殺了自己的父親呢？」

不過事實上，二十年後他竟然誤殺了自己的親生父親。這個故事其實也是說，人若被預言的話，大多都會照著預言所說而行。

而這正是潛意識最可怕、最神祕的力量所在。

7 讓工作效率提升兩倍的技術（其二）

■越是耗時費力的工作越要提早處理■

處理工作的基本方式，先要從大件的工作、困難辛苦的工作、耗費時間的工作等開始做起。輕鬆的工作不必耗費太多體力就能處理完成，而自己喜歡的工作，更是順手。

我們往往會把一些討厭的工作往後延遲。老是等會再做、有空再做地搪塞，說著說著期限就已經到了。所以，討厭的工作、辛苦的工作、重要的工作，一定要馬上解決，再用輕鬆的心情去處理簡單的工作。「先憂後樂」的想法，確實也相當符合工作的處理方式。

來回想一下你的學生時代吧。辛苦熬夜讀書，幸好考前猜題猜得滿準的，應該可以拿到分數。哎呀呀，好不容易考完了，接下來呢？回家乖乖地去補眠睡大頭覺嗎？

大概並非如此吧。一定是跟朋友出去玩，或去約會，肯定像隻快樂的小鳥般，盡情地展翅高飛吧。

其實，考完試後身心俱疲，應該早就睏得呵欠連連了，但很不可思議的是，竟然精神飽滿得只想大玩特玩一番。人是很奇妙的生物，當完成了一件事物時，總是不會感到疲累。

其實，工作也跟這個道理完全相同。人不工作的話容易疲倦，出現情緒不穩、緊張失措的現象。因為會一直處在這個不做不行、那個得趕快進行的焦慮情緒之中。

心裡一直掛念著不趕緊處理不行，反而更加刺激情緒，感到焦躁不安。

所以，我再重申一次，討厭的工作、辛苦的工作等，盡可能先行處理，之後再去做快樂的工作、輕鬆的工作。

這完全符合了「先憂後樂」之精神。

■「整理」讓工作順遂無比■

無論是工作或求學，還有一個不能忽略的——就是場所。也就是說，工作的地方或書房，對於工作的效率有極大影響。

正因如此，工作環境的整理就變得非常的重要。除此之外，當時的服飾、衣著對工作也會產生很大的影響。

我為了考大學，當時老往補習班跑，父親有事沒事常會進來我的房間訓誡我：

「忠昭，你這算什麼房間啊，稍微整理一下吧。你還真有能耐在這麼髒兮兮的房間裡念書啊。這髒亂的房間，完全反映出你混亂的內心。有句話說『居處能照人之氣』，懂不懂啊！」

「居處能照人之氣」，意思就是說你所住的地方，會將你那混亂的內心，毫無保留地反映出來。

我父親接著又說了這麼一句話：「居處能移人之氣。」

「忠昭，快點把房間整理乾淨。房間乾淨的話，你的心也會跟著清爽振奮起來。」

這句話意思就是說，居住的地方可以改變你的心情，也就是告訴我趕快去整理房間啦。

的確沒錯，當你煩躁焦慮時去沖個澡，去理髮店剪個清爽的短髮，換穿上新衣服、連內衣也全部換掉的話，會有一種從頭到尾煥然一新的感覺。

這與「居處能移人之氣」之意同理，從外觀開始把自己的心情徹底整理一番，藉由此舉，工作的效率便能往上提升。

也就是說，我們的居住空間，不管是工作的地方還是住家，必須時常整理得乾乾淨淨才行。

辦公桌上亂七八糟的話，工作也一定處理得亂七八糟，工作的效能當然就無法提升。所以，工作的地方一定要隨時保持清潔，隨時整理。這就是工作的進展手法中，最重要的一個重點。

很妙的是，我每次去廣告代理商或是出版社時，對方的辦公桌上總是疊了近三十公分高的資料，這樣的光景還真是常見。

感覺似乎是在如山的資料中挖出一個小洞，就在那個小洞裡工作般。據說也有人覺得那個樣子會比較好做事情，工作效率反而比較高。

這根本就是胡扯。如果工作環境髒亂成這樣，還能夠把事情做得好，那麼環境整潔的話，工作效率應該能更上一層樓。

■「環境」整理乾淨，就能提升工作品質■

我的恩師菅原義道老師，有一回對我這麼說：

「人哪，就像是走馬燈一樣哪！」

「咦，老師，這話怎麼說呢？」

「你知道什麼是走馬燈嗎？」

「是的，老師，我知道。」

「不管燈籠四周的圖案畫得有多漂亮，如果中間沒有擺上蠟燭的話，便不算是個成功的走馬燈。相反的，不管裡面放的是多棒的蠟燭，如果四周的圖案不漂亮的話，也不能說是個成功的走馬燈吧！

人也是一樣，兩方面都必須要具備。不管穿得多華麗，心緒若是紊亂不定的話，根本談不上是個成功人士。所以我才說，人就像個走馬燈般啊！」

事實上，這種話釋迦牟尼佛也說過。

釋尊在《法華經》中說道：「內在規定外在，外在則要求內在。」的確，自己的內心、內在的自我會顯露於外表。

眼神不善的人、姿勢不良的人、態度惡劣的人，毫無疑問這樣的人，內心一定是混亂不平靜。

相反的，身上穿好西裝、腳上穿著好鞋子、頸上繫著好領帶、頭髮一絲不苟地走在路上，只要衣裝整齊且舉止端正，內心自然也會俐落起來。心相兩者合而為一，才能成為一個優秀的人。

在工作方面當然也是一樣。工作環境的整理確實是非常重要的一件事。

在西洋有個詞叫作「人體恆溫器（Human Thermostat）」。

所謂的恆溫器，是只要溫度上升，電源便自動打開，冷氣開始運轉；而只要溫度下降，冷氣便會停止運轉，自動切斷電源。也就是電源會根據環境的狀況，而自動切換開關。

人也跟恆溫器一樣，隨著四周的環境，內心世界有時混亂，有時端正整齊。

所以，各位，一定要特別注意環境的整潔啊。

第4部

「累積時間」就能充實人生

帶來好結果的自我管理術

◆不浪費時間的優質心態

◆向「全美第一」的頂級推銷員學習自我改革

8 不浪費時間的優質心態

■透過實踐才能判斷好壞優劣■

我想，每個人應該都比較喜歡乾淨的廁所。不過，喜歡掃廁所的人，卻是難得可見，而這正是矛盾所在。

乾淨的廁所比較好，但是卻不想掃廁所；想要有好成績，但是卻討厭念書；想要有很多很多的錢，可以的話不想工作只想玩。

各位，你是否已經察覺到這種矛盾了呢？

這種矛盾在佛法禪學上稱之為「戲論」（註）。所謂戲論；顧名思義，就是荒唐、荒謬的論調，虛偽欺騙的理論，戲弄、玩笑的虛理空論。

事實上，無論你怎麼認真去學習如何讓廁所乾淨的理論，廁所也不會自動變乾淨。只有拿著抹布和刷子去實際執行，廁所才能馬上光潔如新。這種理論和道理再怎麼學習也是沒有用的。

這跟即使看了十本、百本教游泳的書，也不可能學會游泳是一樣的道理，就算不看書，只要有噗通跳下水的勇氣，那麼馬上就能學會游泳。

重點並不在於理論，而是在於實踐，行動才是成功最重要的步驟。

但是，人往往有一種傾向，光只學習理論、道理，以為這樣就夠了，尤其是知識階層越高的人，這種傾向便越強。

學校、講座，或是一些跟讀書有關的學習，大部分與「戲論」都不會有所牴觸。不過，若不去實行的話，不管是多高尚的理論、高見，也還是會成為無意義的「戲論」。

我們應該要抱持著，只要心裡覺得某件事情是對的、是正確的，就馬上去實行的勇氣和行動力。

我的恩師曾對我這麼說過：「所謂修行，就是拚命努力、一而再地去做你認為正確的事情。」我覺得，這正是重視實踐，更甚於「戲論」的一句語重心長的話。

註：佛學詞彙，意指遊戲的、不切實際的言論。

■「現在去做」的優先觀念■

我們經常抱持各種願望，這個也想做、那個也想做，但是，光只有願望，卻沒有伴隨著實際行動去進行，最後也是空談。

雖說抱持目標是一件非常重要的事情，不過，幾乎大部分的人在懷抱目標或願望的同時，對那些目標也畫下了終止符。

「雖然得讓英文更流利不可，不過，因為今天有其他事，就暫停學習吧。」當你拿這種藉口來搪塞時，你寶貴的時間早已經浪費掉了。

知名的書法家，也是禪學大師的相田光男（Mitsuo Aida）曾寫過一首詩。

改天
改天

邊辯解

日已西暮

我們都患有「改天病」，一面抱持著「真的想變成這樣」的願望，另一面卻又想改天再做。

我看過許多書，裡頭都寫著設定目標的重要性。但是，只有設定目標根本不夠，就像之前我所說的，該如何進行今日的行動變革，才是成功的重點所在。

對人生來說，到底什麼才是重要的呢？那就是「今天」。

不管再怎麼悲嘆過去，過去也不會再返回。雖然我們會說：「不是還有明天嗎？」然而，到了明天，今天就成了昨天；當到了今天，明天便成為今天。

明天這個所謂的未來，是不存在於現在的。真正存在的只有「今天」而已。

不過，奇妙的是，釋迦牟尼佛也認為，世間的萬物都是變化不定的，沒有永恆，當然也沒有「今日」。因為時間的流動速度非常迅速，「今日」這種固定的東西，根本不存在於任何地方。

我一直很努力地寫著書，認真到處演講，這個瞬間確實是有的，只有當下才是真正存在的時間。

《金剛經》中有句經文說：

過去心不可得
現在心不可得
未來心不可得

過去的已成過去，無從追尋；而現在轉眼間也將成為過去，沒什麼好留戀。至於未來的事尚未發生，又何必杞人憂天？

如果，連過去、現在、未來都不存在了，那還有什麼呢？能把握的只是剎那、當下的時間。人生中最最重要的大事，就是該如何去活出「當下」這個瞬間的光彩，以最大可能性去變革、行動，把自己現在的生活，帶往更好的方向。

■充分活用一天的「雷電理論」■

我的禪學老師菅原義道大師，曾說過一句禪意深遠的話：「把一日想像成一生！」意思是說，早上醒來時要存有一種「啊！現在的我又是個全新的生命！」的念頭；要有「新生於現在，至夜則死去」的超然想法。

當你懷有這樣的思緒時，你的生存方式會變成什麼模樣呢？當然是充實、認真地去度過今天一天。我有個朋友曾這麼說：「我才不會把時間浪費在跟老婆吵架這種無聊的事上面。」

用全神貫注、全然無我的態度去面對，肯定會讓你今天一天，過得非常的有意義。

晚上就寢前，先勉勵自己：「今天是我人生中最棒的一天，而明天一定會更好！」然後將明天要處理的事情，全部寫於筆記本的日計畫欄中。

隔天醒來之後，在心裡對自己說：「現在的我又是全新的，今天一天會成為我人生中最美好的一天。」在有生之日，時時讓自己度過最有意義的一天，這是我的恩師所留下的發人省思的話語。

有句西洋諺語如是說：「Today is first day of the rest of your life.（今天是你餘生的第一天。）」這句話的意思，便是努力去活出今天一天的自我。

此外，美國有一位時間管理的諮詢顧問亞倫·拉金（Alan Larkin），提出了「雷電理論」。這是說，要把自己當成一個月後，會死於雷擊的人來看待。

當你一個月後即將死於雷擊時，你會如何去度過這一個月呢？我想，無論是誰應該都是盡全力地度過。

你一定不會浪費任何時間。而會拚命陪小孩們遊玩、更加珍愛自己的妻子、努力工作、去做任何有意義的事情吧。

從今後起，希望你能有這樣的想法：「今天一天就是我的一生！」或是「我會死於一個月以後！」用這樣的心情，好好去管理自己的時間吧。

9 向「全美第一」的頂級推銷員學習自我改革

■一定會有成果■

行銷高手法蘭克．貝特格（Frank Bettger）因推銷保險而躋身百萬富豪之列。

他所寫的暢銷書《如何成為行銷高手》，在日本也極為知名，此人可說是美國保險業務員中的頂尖老手。

他原本是一名職棒球隊的選手，美其名是職業棒球，其實只是小聯盟，或稱二軍（Minor League）的選手，他在賓夕法尼亞州小聯盟擔任二壘手。

因為只是二軍，練習時老是打混摸魚、散散漫漫的。這樣的態度，在某天他終於遭到解僱了。教練突然喚他過來告訴他：「從明天起你不必再來了！」這真是晴天霹靂的宣告。

法蘭克悲傷地回到位於芝加哥郊外的老家，走投無路下只好去超市工作。但他還是無法忘情棒球。每天他邊工作，邊在心裡想著：好想打棒球！棒球最適合我，我還是只想打棒球。

悶悶不樂的日子一天又一天地過，運氣終於來了，聖路易斯的一個新球團打來電話。

「怎麼樣，要不要再來試試看當個職棒選手呢？」在小聯盟教練的勸誘下，他二話不說馬上整理好行李，飛也似地前往聖路易斯報到。

在搭車前往的途中，他痛定思痛，經過一番思考。之前在賓夕法尼亞的球隊時，因為太懶散、太不重視比賽才遭到解約，所以一定要下定決心。

「好！這回去了聖路易斯的紅雀隊（St. Louis Cardinals）後，我一定要非常認真、拚命地打好棒球！」

他痛下決心，隔天在球團事務所簽好契約後，他迫不及待地換上球衣，飛奔去球場開始他的初次練習。

跑步時他總是跑在第一個，且衝勁十足地大聲吆喝。不管是練接滾地球、練習頭部撲壘時，法蘭克一直都是盡其所能努力地練習打球。

每次練打二壘滾地球時，他也一定盡力跑向一壘後再回來。打出外野高飛球時，因為說不定外野守備有可能失誤，他便會一口氣奔過一壘、衝向二壘後再回來。

就如此般，法蘭克盡全力投球、盡全力疾奔，拚命地練習打擊。每次練習也總是精力充沛地發出比其他球員還要大上兩、三倍的吆喝聲。

那時，碰巧當地的新聞記者來參觀球隊練習，記者親眼目睹了他那認真的練習姿態。

「哇，這回招攬了個不得了的新人喔！」記者驚異不已，隔天在當地報紙的體育欄中，用斗大的標題刊登了一則新聞：〈前途有望的新人出現了！火球法蘭克新入團！〉

讀到這則新聞的人都十分好奇「火球法蘭克」到底是什麼樣的球員，於是隔天全都蜂擁至練習場去看這傳奇人物。託大家的福，法蘭克這回總算不再出現散漫的態度了。

隔了一天，因為報紙的宣傳，當然更得傾注全力練習不可，於是法蘭克又比前一天更加努力地練習；隔天也是，再隔一天也是。因為太多人前來參觀練球，就算是勉強自己，也還是要讓大家看到他努力練球的模樣。

他認真練習的精神終於獲得認同，如願以償地升格進入大聯盟，成為正式的職棒選手。法蘭克以人氣二壘手的姿態，在聖路易斯逐漸累積了戰績。當他好不容易正要擠身大牌明星球員的行列之中，卻遭逢厄運——他的右手腕骨折了。因為投球時的回彈力，使他的手腕折斷了。

這已經是五十年前的往事了，手腕骨折的球員，這輩子再也無法勝任棒球選手。法蘭克因此又被球團解約，他只好又傷心地回到芝加哥郊外的老家去。

那時的他，絕望得不知所以，手腕受傷也無法再回到超市去工作，那麼自己到底能夠做什麼工作呢？自己根本無一技之長。在一籌莫展之下，他只得去做無需經歷的拉保險工作。於是，法蘭克便以保險公司的推銷員身分，重新出發踏出他新的一步。

■不是「不行」而是「不做」■

悲哀的是，他連一張保單都推銷不出去。這也無可厚非。想想看，一個到昨天都還只會打棒球的男子，哪有可能適任保險推銷員呢！當然是不管到哪裡，都吃上閉門羹。

「你好，我叫作法蘭克，您需要購買保險嗎？」

「我家不需要保險！」

接著到下一家時也是。

「抱歉，請問……啊，不需要喔！」全吃了閉門羹。

只要開口說出「保險」兩個字，馬上就被對方一口回絕：「不需要！」他也只能禮貌地說：「喔，是嗎，不需要喔……」然後黯然地離開。

拜訪了十家、一百家、兩百家都一樣，不管走訪多少家，全都吃了閉門羹。

那時他心想，這樣下去根本不行，才剛開始推銷保險卻完全賣不出去，我到底該怎麼辦才好呢？法蘭克的心情鬱悶到差點得了精神病。

正當他煩惱地在巴士站牌旁走來走去，心裡想著該怎辦時，地上掉了一份報紙。上頭刊著一則廣告：「說話術訓練班推銷員培訓課程」。

法蘭克心想，雖然我現在根本不算是個合格的推銷員，不過像我這樣的男子也有可能成為一名推銷員嗎？這樣的我也能訓練嗎？他想了想，於是便把僅存的微薄存款提了出來，準備參加這個研習會，並報名培訓課程。

不過，一開始時因為是中途入會，被對方給拒絕了。

「法蘭克貝特格先生，因為這個課程早已經開始上課了，所以，請你明年三月再來參加吧！」

「不行，不上這課我就慘了！我真很想學習，無論如何，求求你幫幫忙吧！」法蘭克泫然欲泣地懇求對方，好不容易終於以特例處理，讓他從中插入上課。

第一天上課時，法蘭克貝特格提心吊膽、畏畏縮縮地坐在最後一排的位置上。那堂課的講師，正是那位享譽國際的名人，戴爾．卡內基。

卡內基對大家寒暄說道：「各位同學，今天班上新來了一位前聖路易斯紅雀隊的人氣二壘手，現在則是保險業的人氣推銷員法蘭克．貝特格。法蘭克，請你來前面跟大家打個招呼。」

法蘭克有些遲疑地走向前去，結結巴巴地開口說：「各位晚安，我、我叫、法蘭克。那個、我以前是打棒球的，後來沒打了，那個、欸、那個……」

卡內基在一旁說：「法蘭克，可不可以請你稍微大聲點說話呢？」

「喔，老師說的我明白，不過，因為我沒辦法再打球，推銷保險也完全不行，沒什麼精神所以大聲不了。」

「勉強一下又何妨？請大聲點說話吧！」

「我剛剛已經說了，我沒辦法大聲啊！我連個保險都賣不出去……」

「法蘭克，可以麻煩你把頭抬起來，面對大家說話嗎？」

「我剛說了啊，我懂您的意思，可是，我覺得很丟臉，我不敢抬起頭啊！」

「法蘭克，你給我像個男子漢點！抬起頭來大聲說話！」

「我剛剛就已經說啦，我抬不起頭啊！」

「嘿，你現在，不就抬起頭來大聲說話了嗎？」

這時候法蘭克貝特格才驚覺，原來一直認為自己不行、自己做不到，反而真的會沒辦法做到。

也就是說，不是不行，而是不做，他終於發覺到這個關鍵所在了。

他並非無法大聲說話，而是不想大聲而已；他也並非無法抬起頭來，而是不想抬頭而已。直到現在他才發覺到，只要自己想抬頭挺胸，要抬多高都是沒問題的。

啊，原來如此！原來是我自己束縛了自己的心靈哪！驚覺到這點後，法蘭克當然想去解開這個糾纏的鎖結。

那麼，到底是誰能夠解開這個鎖呢？不是旁人，只有他自己才能夠解得開。察覺到此點的法蘭克，隔天起便有意識地去正視自己這個「假裝」的舉動。不是沒有精神、沒有元氣，而是不去提起精神而已，所以要讓自己打起精神，就算強迫也要讓自己表現出有精神有元氣的模樣，要「假裝」自己非常有精神，非常有元氣！

美國人有早上淋浴的習慣，於是，法蘭克早晨一面淋浴，一面對自己的心靈打氣：「好！今天也要精神飽滿地向前衝！」「今天要大聲地跟大家打招呼！一定要大聲地打招呼！今天的目標就是大聲打招呼！大聲、很大聲地……行動要充滿熱忱！今天的行動要輕快俐落，要用很大的聲音、要很有精神地度過今天一天！」如此激勵自己後，再帶著滿滿的元氣前去拜訪客戶。

「午安您好，我是法蘭克・貝特格。我現在已經不打棒球了，而且正從事著一個非常棒的工作喔！那就是保險的工作。請您給我五分鐘的時間，我可以告訴您一些非常有價值的建議！」

接著前往下一個客人的地方也是一樣。

「午安！我今天是來跟您交個朋友的。讓我們來聊聊今後的快樂人生吧！」

就像這樣，法蘭克總是用積極且活潑的態度，來面對大眾。

剛開始時的確既辛苦又痛苦。不過，經過一星期、兩星期、三星期之後，這些動作便開始自然了起來。從此後，不管何時或是在何地，他總是一副神采奕奕、精力充沛的模樣。

這時候法蘭克・貝特格才發覺，自己的性格已經有了不同的變化。

接下來，他對自己說：「好，這個禮拜要開始笑臉迎人。笑咪咪、笑咪咪的，把微笑當成一個目標。」早上淋浴時他便開始面帶微笑，笑咪咪的。

「今天一定會有好事發生喔，要笑咪咪、笑咪咪的。」不管去拜訪誰，他總是笑臉迎人，一副愉快的模樣，始終保持著一張讓人感覺很容易親近的笑臉。

叮咚！門一打開就看見一張笑咪咪的臉。「您好，我是法蘭克・貝特格。」隨時給大家一張親切愉快的笑臉。這樣的微笑動作持續了三週之久。到後來，無論何時何地，他便能自然而然地由衷發出親切而真誠的微笑。

法蘭克・貝特格就以這種方式，每三週訂出一個目標，逐漸改變了自己的性格。

■「肯定語」能讓美夢成真■

他在晚年時提出了「法蘭克・貝特格的十三個項目」之理論，把十三種優良性格的學習方法做出整理。

首先第一個，就是充滿熱情、熱忱的行動與言語。將此事強迫性地灌輸自己，不斷地告訴自己所有的行動都要充滿熱情，而此舉必須要持續三星期的時間。

接下來的三週開始以「肯定的言行」互動。換句話說，就是不使用否定語，禁止語。不要開口就說如「做不到」、「沒辦法」這類的話語，經常要以「我能夠做得到」來肯定自己。不是保險賣不出去，而是一定可以賣得出去，把這種肯定的話語掛在嘴邊。

說到這裡，我忽然想起一個在日本的高校棒球中，非常有意思的小故事。

這是發生在茨城縣某個高中的故事。這個高中是個升學學校，在棒球方面並不太強。

不過，在距今二十年前左右，這個高中曾有一次贏得進入甲子園決賽的資格。那時他們在預賽時，連著第一戰↓第二戰↓第三戰↓第四戰的獲勝晉級，最後終於打進縣大會的決賽。

那次的決勝戰，在第九回時竟然是兩出局、滿壘的局面，正是一舉逆轉戰局的大好機會。接著輪到A選手的打擊棒次，那真是一個只要他一打擊出去，就可能進入甲子園的緊張狀況。

A選手的心噗通噗通劇烈地跳著，緊張到心臟差點就要跳出胸口。

在這種時候，不管是哪個球隊的教練一定都會叫暫停，喚選手過來面授機宜一番。而根據這時的告誡忠言，大概可以定奪出一個教練的好壞或普通之分別。

普通的教練會喚來A選手，告誡的話大概都是像：「你聽好，盡量放輕鬆，不要太緊張！」、「出全力揮棒，加油！」，或者是「拚命努力！」等這種很老套的話。

不過，放輕鬆揮棒這句話並不是一個好忠告。為何呢？因為A選手會不斷地告訴自己：必須要放輕鬆、不可以緊張、把緊繃的肌肉鬆懈下來。

但是，這些無意義的忠告，反而會讓對方更緊張。所以說，會這樣說的教練並不算是個好教練。

爛教練則會喚來A選手，對他告誡說：「你聽好喔，遇到偏低球時不准揮棒！因為今天的投手所投的偏低球速度非常快，所以絕對不准揮棒。尤其是你，有好幾次被偏低球三振的經驗，所以更要特別注意！」A選手一聽完教練的告誡，站在打擊區時滿腦子都是偏低球。

偏低球、偏低球……。啊，球來了。遇到偏低球不可以揮棒！第二球還是偏低球，絕對不可以出手！第三球也是。結果，被三振出局了。

職棒選手中也有那種一次都沒揮棒、就出局的代打選手。我想，多半是因為被教練如此告誡的緣故吧。

一個好教練是絕對不會說出否定語、禁止語，或是「不行」的話，並且經常以肯定的言行來與選手互動。

譬如說：「聽好喔，A。你呢，遇到偏高球時就不顧一切地揮棒就對啦。因為你對偏高球特別有把握，只要奮力一擊就錯不了啦！就算閉上眼睛也無所謂，只要是偏高球的話就揮棒！」

事實上，當時的教練就是用這些忠告來激勵A選手的。

「是，我知道了。偏高球喔，我會不顧一切揮棒的！」A選手說完後站上打擊區，然後，全神貫注地將偏高球奮力擊出。這球打出一支二壘安打，而這個高中終於如願以償地進軍甲子園高校棒球賽。

這時候，肯定言行是非常重要的。倘若使用否定語、禁止語，或是「說不行」、「不可以」等的話，那麼肯定會往「不行」的方向走去。

只要說「你行的」、「你做得到的」的話，一定會往「做得到」的方向走去。法蘭克・貝特格深知此點的重要性，因此他才會將「時時肯定周遭事物」當成一個目標來進行。

我再來說一個小故事。明尼蘇達州正逢蘋果的採收季節，美國的蘋果個頭較小且整顆都是紅通通的。蘋果已經完全成熟、正準備下週要進行採收時，卻遭逢當地三十年來的嚴重惡劣天氣，竟然下起了大冰雹。

兩、三公分大小的冰雹，直接打在即將採收的蘋果身上。所有的蘋果全都傷痕累累，上面佈滿了黑色的斑點。

蘋果園園主們聚在一起你一言我一語地討論著。

「這下可慘了，下禮拜就要開始採收，這麼一來根本就賣不出去嘛！除了當豬飼料之外大概也別無他法了，也只好拜託豬農收購去當飼料了。我看，價格恐怕只有四分之一、五分之一不到，簡直就跟免費奉送的沒兩樣嘛！唉，該怎麼辦啊？」大夥兒臉色鐵青，議論紛紛。

這時，有個青年站了出來持反對意見：「這些蘋果說不定還能夠賣得出去，不試試看怎知道呢？」其他的大叔們紛紛說：「不可能，不可能的啦！」他還是非常執意。「不，搞不好可以。我覺得賣得出去！」

隔天，這個青年帶著蘋果來到市場，立起一塊廣告牌，上頭寫著：

「三十年來罕見的冰雹襲擊下的珍貴蘋果！這是飽含大自然恩惠的美味蘋果。請看！證據就在這些黑色的斑點上！這些就是被三十年來罕見的冰雹所襲擊的珍貴異常的蘋果！」

結果，因為真是太特殊難得了，所以不到一會工夫這些蘋果就賣得精光。不僅如此，那年採收的蘋果不多時就銷售一空。

這件故事也讓我們瞭解，經常以肯定的、積極的態度，去面對所有事情的重要性。

■引領人生走向成功的「十三個項目」■

「法蘭克．貝特格的十三個項目」的第三項是，要確立目標，明確知道自己該做何事。關於這一點，在第一章中已陳述，在此便略過不提。

第四項是詢問。自己若太過多話，便容易忘記去詢問客人的需要，而且話太多也容易言不及義且離題。

為了避免發生這種情況，便要發自內心去關心客人，詢問客人所需。做一個推銷員必須學會一件事，就是養成讓對方說話的習慣。總之，就是要不停地詢問客人的需求。

第五項是誇獎。要發自內心真誠地讚美客人的優點。每次與客戶見面時要先想好，這次跟他見面時要讚美他哪一部分；而跟他見面時該讚美他什麼等等。經常探尋對方的優點，找尋對方的長處，用這樣的心情去面對他人。然後，每次見面時便發自內心，由衷地去稱讚對方。沒有人會因為讚美，而動氣發怒的。

第六項是沉默。總而言之，推銷員就是講話講太多。太過喋喋不休的話，容易引起對方的反感。

所以，要按耐下想說話的衝動，多讓對方說話。用心去傾聽對方的煩惱，把扮演傾聽者當成一個目標。

第七項目標，是以親切有禮且誠實的態度去面對他人。要具有值得信賴的言行舉止、體貼、認真的態度。杜絕一些輕率魯莽的行動或是低俗無聊的玩笑，要經常站在對方的立場思考問題，所有的行動都要非常誠實誠摯。就算勉強自己也要這麼做，努力地讓對方對你產生好印象。

第八項是要具備知識。這裡指的是商品相關的知識，要設定目標去學習跟自己的事業、工作有關的知識。

第九項是感謝的心。發自內心地感謝和正確地評價，就算是小事一樁也要對對方心存感謝。即使產品有可能銷售不出去，也要發自內心由衷感謝對方，願意花十分鐘的時間聽自己推銷。

第十項是微笑。無論何時何地，要經常面帶笑容，讓對方能感受到幸福，並把這當成一個目標去進行。

對於人際關係，微笑是非常重要的一環。密西根大學的實驗心理學家J・V・馬康納（James V. McConnell）這麼說：「微笑是人類最重要的資產之一；臭臉則是一種精神性的汙染、公害。」

馬康納也舉了一個相當有趣的例子來說明。愛擺臭臉的醫師和笑臉迎人的醫師兩者相較之下，臭臉醫師被控醫療失誤的案例竟高出兩倍之多。

我家附近有兩家診所，一家是F小兒科，另一家是M內科。

每次去F小兒科時總是人滿為患。上週我家三男感冒，才剛去F小兒科看過病。

由於候診室總是擠得滿滿的，每每至少都得等上一個鐘頭以上。但為什麼那些媽媽們還是不辭辛苦地帶著小孩去這家診所看病呢？

原來，F醫師看診時，一直都是笑臉迎人。

「唷，是英樹喔，你好嗎？喔，你感冒了啊，怎麼可以不愛惜身體呢？晚上睡覺時別冷著了，一定要穿著睡衣睡覺才行喔，要乖乖聽話喔！」「英樹媽媽別擔心，馬上就會痊癒的。我給他開個藥，按時吃就沒問題了！」

F醫師總是用這種口吻說話，所以在媽媽們中非常受到歡迎。

可是，附近另外一家的M內科卻是門可羅雀。那裡完全見不到任何的微笑，對病患既冷淡又不耐煩。

「醫師，我肚子很痛！」當病人這麼說時，他卻只說：「喔，是嗎？那我開個藥給你吧。」就結束對話了。

「我有點發燒，也有點咳嗽……」

「嗯，感冒了，開個藥吃吃就好了。」就這樣結束了。

誰的醫術比較好倒是很難判定，不過一邊是笑咪咪地看診，另一邊卻是冷若冰霜，這點卻有天壤之別。

就因為這樣，一家被大家稱為名醫，另一家卻被評為庸醫。這簡直就是微笑與不微笑的影響呀！

還有一個美國統計的數據資料，據說對小孩的不良行為頭痛萬分的的家長，有百分之八十習慣上都不帶微笑，所以，經常對小孩面帶微笑可說是非常重要的。

這也就是法蘭克．貝特格為何要訂下「笑臉迎人」的目標的緣故。

第十一項是記住對方的姓名。為了表示自己對他人確實是發自內心地關懷，首先要從記住對方的名字開始做起。

所謂記住名字，初步所表示的意思，就是對我而言記住你的名字是一件非常重要的事情；而記不住名字，正代表你並非是個有價值到讓我願意記住名字的朋友。總之不管如何，一定要記住見過面的人的名字。

不要只說「早安」，而是要說：「早安，佐藤先生！」訂出一個目標，經常利用這種加上名字的招呼方式，來記牢對方的名字。

第十二項是服務心。站在對方的立場，將心比心地提供服務。不要要求對方會有所回報，而是要發自內心地奉獻，並把這些話當成自己的座右銘。

第十三項是時間的管理。規畫出行動的計畫，避免無謂的時間浪費，訂出一個有效活用時間的目標。

從第一項到第十三項，法蘭克・貝特格訂出如此多的目標，且每三週重點執行一個項目，花了三十九週的時間實行完一個流程。不僅如此，法蘭克一輩子都持續循環地去實行這十三個項目。

法蘭克如是說：「剛開始雖然困難重重，但還是勉強自己去做這些事情，不過，在勉強自己的過程中，似乎逐漸變得不那麼勉強了，慢慢便會很自然地去做這些事情。妙的是，到後來竟然變成自己的第二種個性。」

他還留下一席非常有意思又值得思索的話：「至今為止的你，就是因為老是認為自己就是如此，才會變成現在這副模樣。因此，要改變你自己，就必須先改變你對自己的想法。」

為了自己本身的行動變革，不先去改變「自己就是這樣的人」這種根深蒂固的想法是不行的。

最先實行「法蘭克・貝特格的十三個項目」的人，其實是班哲明・富蘭克林（Benjamin Franklin，對美國獨立宣言有重大貢獻的政治家）。他在《班哲明・富蘭克林自傳》中也寫到這件事情，說自己曾經統整了法蘭克・貝特格的理論，並一一實行。

法蘭克將這十三個項目分別寫在名片大小的紙上，上面寫著重點以及解說。

據說，一天中有好幾回，他會將這些紙片從口袋中拿出仔細閱讀。

引領人生走向成功的「法蘭克·貝特格的十三個項目」

① 充滿熱忱的行動
② 經常以「肯定的言行」互動
③ 確立明確的目標
④ 向對方「詢問」
⑤ 經常「讚美」對方的優點
⑥ 偶爾要扮演「傾聽者」
⑦ 以「誠實的態度」來面對他人
⑧ 學習工作上的「專業知識」
⑨ 發自內心對他人表達「感謝」
⑩ 經常保持「笑容」
⑪ 見過面的人要「記住名字」
⑫ 站在對方的立場給予「服務」
⑬ 規畫行動的計畫，進行「時間管理」

■「三週養成習慣」是達成目標的關鍵■

無論任何人都有可能成功。

美國一位著名的諮詢顧問保羅．帕克（Paul Parker）曾說過：「人類只使用了自己百分之二十二的能力，而剩下的百分之七十八尚在沉睡中。」換句話說，理論上人類還可以提高現在的工作約三點五倍的效率。

還有百分之七十八的潛在能力留在你的大腦中，如果能夠稍加利用的話，人人都有可能成功。只要我們像法蘭克．貝特格般，訂下一個變革自己行動的目標，並將之當成每週的目標，那麼成功的可能性就非常大了。

人只要三週持續做同一件事，就會逐漸變成自己的一種性格，也會成為一種習慣。

譬如戒菸這件事，剛開始的一星期，大概是最辛苦、最難熬的吧！

不過，大家都說，只要忍耐兩週、再忍耐三週後，就會開始逐漸習慣，慢慢地就能將菸給戒掉了。

「三週養成習慣」，這正是達成所有目標的一個重要關鍵！

國家圖書館出版品預行編目資料

早上3小時完成一天工作／箱田忠昭著．-- 初版．-- 台北市：春光出版：家庭傳媒城邦分公司發行，2010（民96）
面；公分（心理勵志：12Y）

ISBN 978-986-6822-24-7（平裝）
1.時間管理 2.生活指導
177.2　　96013112

早上3小時完成一天工作（暢銷十年經典改版）

原書書名／200%フル活用!頭のいい「時間」術
作　　者／箱田忠昭
企劃選書人／黃淑貞
譯　　者／吳鏘煌
責任編輯／黃慧文、何寧

版權行政暨數位業務專員／陳玉鈴
資深版權專員／許儀盈
行銷企劃／周丹蘋
業務主任／范光杰
行銷業務經理／李振東
副總編輯／王雪莉
發 行 人／何飛鵬
法律顧問／元禾法律事務所　王子文律師
出　　版／春光出版
台北市104中山區民生東路二段 141 號 8 樓
電話：(02) 2500-7008　傳真：(02) 2502-7676
部落格：http://stareast.pixnet.net/blog E-mail：stareast_service@cite.com.tw
發　　行／英屬蓋曼群島商家庭傳媒股份有限公司城邦分公司
台北市中山區民生東路二段 141 號11 樓
書虫客服服務專線：(02) 2500-7718 / (02) 2500-7719
24小時傳眞服務：(02) 2500-1990 / (02) 2500-1991
服務時間：週一至週五上午9:30～12:00，下午13:30～17:00
郵撥帳號：19863813　戶名：書虫股份有限公司
讀者服務信箱E-mail: service@readingclub.com.tw
歡迎光臨城邦讀書花園　網址：www.cite.com.tw
香港發行所／城邦（香港）出版集團有限公司
香港灣仔駱克道 193 號東超商業中心 1 樓
電話：(852) 2508-6231　　傳眞：(852) 2578-9337
E-mail : hkcite@biznetvigator.com
馬新發行所／城邦（馬新）出版集團　Cite(M)Sdn. Bhd
41, Jalan Radin Anum, Bandar Baru Sri Petaling,
57000 Kuala Lumpur, Malaysia.
Tel: (603) 90578822 Fax:(603) 90576622 E-mail:cite@cite.com.my

封面設計／萬勝安
內頁排版／極翔企業有限公司
印　　刷／高典印刷有限公司

■ 2008年（民97） 1月 9 日初版
■ 2020年（民109）1月3日四版2.8刷

Printed in Taiwan

售價／300元

城邦讀書花園
www.cite.com.tw

 ISBN　978-986-6822-24-7

廣 告 回 函
北區郵政管理登記證
台北廣字第000791號
郵資已付，免貼郵票

104 台北市民生東路二段 141 號 11 樓

英屬蓋曼群島商家庭傳媒股份有限公司

城邦分公司

請沿虛線對折，謝謝！

愛情・生活・心靈

閱讀春光，生命從此神采飛揚

春光出版

書號：OK0012Y　**書名**：早上3小時完成一天工作
（暢銷十年經典改版）

請於此處用膠水黏貼

讀者回函卡

謝謝您購買我們出版的書籍！請費心填寫此回函卡，我們將不定期寄上城邦集團最新的出版訊息。

姓名：____________________

性別：☐男　☐女

生日：西元________年________月________日

地址：____________________

聯絡電話：____________ 傳真：____________

E-mail：____________________

職業：☐1.學生 ☐2.軍公教 ☐3.服務 ☐4.金融 ☐5.製造 ☐6.資訊

☐7.傳播 ☐8.自由業 ☐9.農漁牧 ☐10.家管 ☐11.退休

☐12.其他 ____________________

您從何種方式得知本書消息？

☐1.書店 ☐2.網路 ☐3.報紙 ☐4.雜誌 ☐5.廣播 ☐6.電視

☐7.親友推薦 ☐8.其他 ____________________

您通常以何種方式購書？

☐1.書店 ☐2.網路 ☐3.傳真訂購 ☐4.郵局劃撥 ☐5.其他 ________

您喜歡閱讀哪些類別的書籍？

☐1.財經商業 ☐2.自然科學 ☐3.歷史 ☐4.法律 ☐5.文學

☐6.休閒旅遊 ☐7.小說 ☐8.人物傳記 ☐9.生活、勵志

☐10.其他 ____________________

請於此處用膠水黏貼